D0416097

<u>dtv</u>

Mexiko verstehen – wie macht man das?

Man könnte vielleicht hinfahren und Land und Leute kennen lernen.

Das Land – klar. Die Leute – schwieriger. Es gibt: Nachkommen der indianischen Ureinwohner, Nachkommen der hispanischen Eroberer, Nachkommen schwarzafrikanischer Sklaven, Zuwanderer aus Ostasien, Weltbürger von überall her – und alle erdenklichen Verbindungen daraus. Mit all denen reden?

Nicht alle sprechen Spanisch, doch mit Spanisch käme man weit.

Aber Mexiko verstehen? Die Seele des Landes ist touristisch nicht zu ergründen. Zu ergründen ist sie überhaupt nicht. Aber man kann eine Ahnung von ihr bekommen: durch die Literatur.

Zum Beispiel durch Kurzgeschichten moderner Erzähler, die nicht nur Modernes und nicht nur Hispanisches erzählen, sondern all den gegensätzlichen Herkünften nachgehen – liebevoll oder ungeduldig, amüsiert oder erschrocken …

Dieses Buch enthält in spanisch-deutschem Paralleldruck ein Ensemble solcher Geschichten. Einige werden Ihnen vorkommen, als läge Mexiko gleich nebenan, andere, als läge es weltenfern. Irgendwie stimmt beides.

Cuentos mexicanos
Erzählungen aus Mexiko

Herausgegeben und übersetzt von Erna Brandenberger

Deutscher Taschenbuch Verlag

dtv zweisprachig · Edition Langewiesche-Brandt
herausgegeben von Kristof Wachinger

Deutsche Erstausgabe / Neuübersetzung
1. Auflage 1999. 3. Auflage April 2003
Copyright-Angaben Seite 219 ff.
Rechte an der Übersetzung:
© Deutscher Taschenbuch Verlag GmbH & Co. KG, München
www.dtv.de
Umschlagkonzept: Balk & Brumshagen
Umschlagbild: Ludwig Friedel (geb. 1917): Paisaje II
Satz: Greiner & Reichel, Köln
Druck und Bindung: Kösel, Kempten
Gedruckt auf säurefreiem, chlorfrei gebleichtem Papier
ISBN 3-423-09388-9. Printed in Germany

Alfonso Reyes
Silueta del indio Jesús

Vino el día en que el indio Jesús, a quien yo encontré en no sé qué pueblo, se me presentara en México muy bien peinado, con camisa nueva y con un sombrero de lucientes galones, a la puerta de mi casa. Sólo el pantalón habido a última hora en sustitución del característico calzón blanco, para que lo dejaran circular por la ciudad los gendarmes, desdecía un poco de su indumento. Había resuelto venir a servir a la capital – me dijo – y dejar la vida de holganza. No contaba el tiempo para Jesús. Recomenzaba su existencia después de medio siglo con la misma agilidad y flexibilidad de un muchacho.

– ¿Pero tú qué sabes hacer, Jesús?

Jesús no quiso contestarme. Presentía vagamente que lo podía hacer todo. Y yo, por instinto, lo declaré jardinero, y como tal le busqué acomodo en casa de mi hermano.

Aquel vagabundo mostró, para el cuidado de las plantas, un acierto casi increíble. Era capaz de hacer brotar flores bajo su mirada, como un fakir. Desterró las plagas que habían caído sobre los tiestos de mi cuñada. Todo lo escarbó, arrancó y volvió a plantar. Las enredaderas subieron con ímpetu hasta las últimas ventanas. En la fuente hizo flotar unas misteriosas flores acuáticas. De vez en vez salía al campo y volvía cargado de semillas. Cuando él trabajaba en el jardín, había que emboscarse para verlo; de otro modo, suspendía la obra, y decía: «que ansina no podía trabajar», y se ponía

Alfonso Reyes
Der Indio Jesús, ein Schattenriss

Eines Tages stand vor meiner Haustür in Mexiko-Stadt der
Indio Jesús, dem ich einmal in irgendeinem Dorf begegnet
war; er war sehr sorgfältig gekämmt und trug ein neues
Hemd und einen Hut mit glänzenden Bändern. Nur die lange Hose, die er in letzter Minute statt der gewohnten kurzen
weißen angezogen hatte, passte nicht zu seiner Gewandung;
sie erlaubte ihm aber, unbehelligt von der Polizei in der Stadt
herumzugehen. Er hatte beschlossen, in Mexiko eine Stelle
anzunehmen, sagte er zu mir, und das Vagabundenleben auf-
zugeben. Für Jesús zählte die Zeit nicht. Nach einem halben
Jahrhundert fing er, anpassungsfähig und beweglich wie ein
Jüngling, ein neues Leben an.

«Aber was kannst du denn eigentlich, Jesús?»

Jesús wollte mir nicht antworten. Ich vermutete, dass er
wohl zu allem taugte. So erklärte ich ihn einfach zum Gärtner und suchte ihn als solchen bei meinem Bruder unterzu-
bringen.

Es zeigte sich, dass dieser Vagabund ein schier unglaub-
liches Geschick für die Gartenpflege hatte. Durch bloßes Anschauen brachte er die Blumen zum Blühen, fast wie ein Fakir.
Er verbannte alles Ungeziefer, das sich über die Topfpflanzen
meiner Schwägerin hergemacht hatte. Alles buddelte oder
riss er aus und pflanzte es neu ein. Die Klettergewächse
rankten sich ungestüm bis zu den obersten Fenstern hinauf.
Im Brunnenbecken ließ er geheimnisvolle Wasserpflanzen
schwimmen. Von Zeit zu Zeit ging er aufs Land hinaus und
kam mit Samen beladen wieder zurück. Wenn man ihn im
Garten beobachten wollte, musste man sich verstecken; sonst
hörte er nämlich auf und sagte, dass er «so» nicht arbeiten

a rascarse la greña con un mohín verdaderamente infantil.

Y las bugambilias extendían por los muros sus mantos morados, las magnolias exhalaban su inesperado olor de limón; las delicadas begonias rosas y azules prosperaban entre la sombra, desplegando sus alas; los rosales balanceaban sus coronas; las mosquetas derramaban aroma de sus copitas blancas, las amapolas, los heliotropos, los pensamientos y nomeolvides reventaban por todas partes. Y la cabeza del viejo aparecía a veces, plácida, coronada de guías vegetales como en las fiestas del Viernes de Dolores que celebran los indios en las canoas y chalupas del Canal de la Viga.

¡Qué bien armonizan con la flor la sonrisa y el sollozo del indio! ¡Qué hechas, sus manos, para cultivar y acariciar flores! De una vez Jesús, como su remoto abuelo Juan Diego*, dejaba caer de la tilma – cualquier día del año – un paraíso de corolas y hojas. Parecían creadas a su deseo: un deseo emancipado ya de la carne transitoria, y vuelto a la sustancia fundamental, que es la tierra.

Jesús sabía deletrear y, con sorprendente facilidad, acabó por aprender a leer. El esfuerzo lo encaneció poco a poco. Comenzó a contaminarse con el aire de la ciudad. La inquietud reinante se fue apoderando de su alma. Él, que conocía de cerca los errores del régimen, no tuvo que esforzarse mucho para comprender las doctrinas revolucionarias, elementalmente interpretadas según su hambre y su frío. A veces llegaba tarde al jardín, con su elástico paso de danzante, sobre aquellas piernas de resorte hechas para el combate y el salto, aunque algo secas ya por la edad.

könne, kratzte sich am Kopf und schnitt eine wirklich kindische Grimasse dazu.

Die Bougainvilleas breiteten ihre Purpurdecken über die Mauern, die Magnolien verströmten unverhofft ihren Zitronenduft, im Schatten entfalteten üppige rosarote und bläuliche Begonien ihre Blütenblätter wie Flügel, die Rosenstöcke ließen ihre Blumenkronen schaukeln, die Kletterrosen verströmten aus weißen Kelchen ihren Duft, überall blühten Mohn, Sonnenblumen, Stiefmütterchen, Vergissmeinicht um die Wette. Manchmal tauchte irgendwo der rankenumkränzte Kopf des Alten auf; mit seinem heiteren Blick sah er aus wie das blumengeschmückte Bild der Gottesmutter, das die Indios auf Booten und Schaluppen am Fest der Schmerzenreichen Jungfrau bei der Prozession auf dem Canal de la Viga mitführen.

Wie wunderbar stimmt das Blühen mit dem Lächeln und Schluchzen des Indio überein! Wie vortrefflich sind seine Hände geschaffen, um Blumen zu hegen und zu hätscheln! Und dann ließ Jesús an irgendeinem Tag im Jahr – wie Jahrhunderte früher sein Vorfahr Juan Diego – aus seinem Gewand ein Paradies von Blüten und Blättern fallen. Sie schienen nach seinem Wunsch erschaffen zu sein: dem Wunsch, das vergängliche Fleisch hinter sich zu lassen und wieder zu Grundstoff, zu Erde, zu werden.

Jesús konnte buchstabieren und lernte mit erstaunlicher Leichtigkeit lesen. Wegen der Anstrengung ergraute er nach und nach. Er litt immer mehr unter der Stadtluft. Die herrschende Unruhe nahm auch von seiner Seele Besitz. Er kannte die Fehler des Regierungssystems aus eigener Erfahrung, so musste er sich nicht groß anstrengen, um die revolutionären Lehren zu verstehen und seinem Hungern und Frieren gemäß auszulegen. Manchmal kam er zu spät in den Garten, aber immer mit federndem tänzelndem Schritt, seine sprungbereiten Beine schienen für den Kampf gemacht, obwohl sie vom Alter schon ein bisschen dürr waren.

Es que Jesús se había afiliado en el partido de la revolución y asistía a no sé qué sesiones. Yo vi brillar en su cara un fuego extraño. Comenzó a usar de reticencias. No nos veía con buenos ojos. Éramos para él familia de privilegiados, contaminada de los pecados del poder. A él no se le embaucaba, no. Harto sabía él que no estábamos de acuerdo con los otros poderosos, con los malos; pero como fuere, él sólo creía en los nuevos, en los que habían de venir. A mí, sin embargo, «me tenía ley», como él decía, y estoy seguro de que se hubiera dejado matar por mí. Esto no tenía que ver con la idea política.

Una tarde, Jesús depuso la azada, se quitó el sombrero, me pidió permiso para sentarse en el suelo, diciendo que estaba muy cansado, y luego dejó escapar unas lágrimas furtivas. Comprendí que quería hablarme. Siempre, en él, las lágrimas anunciaban las palabras. Había una deliciosa dulzura en sus discursos, una quejumbre incierta, un ansia amorosa de llanto. Era como si pidiera a la vida más blanduras. Hubiera sido capaz de reñir y matar sin odio: por obediencia, o por azar. Porque el indio mexicano se roza mucho con la muerte. Caricia, ternura había en sus ojos cierto día que tuvo un encuentro con un carretero. Éste acarreaba piedras para embaldosar el corral del fondo. Yo los sorprendí en el momento en que Jesús asió el sombrero como una rodela, dio hacia atrás un salto de gallo, y al mismo tiempo sacó de la cintura el cuchillo – el inseparable «belduque» – con una elegancia de saltarín de teatro. Yo lo oí decir, con una voz fruiciosa y cálida:

– ¡Hora sí, vamos a morirnos los dos!

Jesús hatte sich nämlich der Revolutionspartei angeschlossen, und nahm an Zusammenkünften teil – wer weiß, an welchen. Ich sah in seinen Augen ein seltsam fremdes Feuer blitzen. Er begegnete uns nun mit Vorbehalten, betrachtete uns mit Misstrauen. Wir gehörten für ihn zu den privilegierteren Familien, waren angesteckt von der Sündhaftigkeit der Macht. Ihn übertölpelte man nicht, nein. Er wusste zwar nur zu genau, dass wir nicht einverstanden waren mit den übrigen Machthabern, jedenfalls nicht mit den Bösen; aber wie auch immer, Jesús glaubte nur an die Neuen, an die Zukünftigen. Für mich allerdings «bürgte» er, wie er sagte, und ich bin sicher, er hätte sein Leben für mich hingegeben. Das hatte mit seinen politischen Überzeugungen nichts zu tun.

Eines Abends legte Jesús die Hacke hin, nahm den Hut ab und bat mich um Erlaubnis, sich auf den Boden zu setzen, er sei sehr müde. Verstohlen wischte er eine Träne ab, und ich begriff, dass er mit mir reden wollte. Bei ihm kündeten Tränen immer Worte an. Es lag eine köstliche Sanftheit in seiner Rede, eine unbestimmte Klage, ein fast liebenswertes Bedürfnis zu weinen. Es war, als bitte er das Leben um mehr Weichheit. Er wäre imstande gewesen, ohne Hass zu streiten oder zu töten: nämlich aus Gehorsam oder durch Zufall. Der mexikanische Indio hat immer enge Fühlung mit dem Tod. Liebkosung, Weichheit lag in seinen Augen, als er einmal eine Auseinandersetzung mit einem Fuhrmann hatte. Der führte Steine, um den Hinterhof zu pflastern. Ich überraschte sie im Augenblick, als Jesús seinen Hut wie ein Rad anfasste, einem Kampfhahn gleich einen Sprung rückwärts tat und dabei aus dem Gürtel ein Messer zog – das stets griffbereite große Spitzmesser – alles behend und leicht wie ein Baletttänzer. Ich hörte ihn mit warmer, schmeichelnder Stimme sagen:

«Jetzt werden wir beide sterben!»

Costó algún trabajo reconciliarlos. Pero hubo que alejar de allí al carretero. Todos adivinamos que aquellos dos hombres, cada vez que se encontraran de nuevo, caerían en la tentación de hacerse el mutuo servicio de matarse.

Aquella melosidad lacrimosa que hacía de Jesús uno como bufón errabundo, frecuentemente lo traicionaba. Iba más lejos que él en sus intentos; disgustaba a la gente con sus apariencias de cortesía servil; daba a sus frases más palabras de las que hacían falta, cargándolas des expresiones ociosas, como de colorines y adornos. Indio retórico, casta de los que encontró en la Nueva España el médico andaluz Juan Cárdenas, mediado el siglo XVI. Indio almibarado y, a la vez, temible.

Pero no era esto lo que yo quería contar, sino que Jesús se puso de pronto un tanto solemne y me pidió un obsequio:

– Quiero – me dijo – que, si no le hace malobra, me regale el niño una Carta Magna.

– ¿Una Carta Magna. Jesús? ¿Un ejemplar de la Constitución? ¿Y tú para qué la quieres?

Pa conocer los Derechos del Hombre. Yo creo en la libertad, no agraviando lo presente, niño.

Entretanto, comenzaba a descuidar el jardín y algunos rosales se habían secado.

Jesús volvió al campo un día, donde no permaneció más de un mes. ¿Qué pasó por Jesús? ¿Qué sombra fue ésa que el campo nos devolvió al poco tiempo, qué débil trasunto de Jesús? Todo el vigor de Jesús parecía haberse sumido como agua en suelo árido. Ya casi no hablaba, no se movía. El viejo no hacía caso ya de las

Es kostete einige Mühe, die beiden wieder zu versöhnen. Aber wir mussten den Fuhrmann entlassen. Alle spürten wir, dass diese beiden Männer bei jeder Begegnung die Versuchung überkommen würde, dem anderen den Dienst zu erweisen, ihn umzubringen.

Die honigsüße Weinerlichkeit, die Jesús zu einer Art streunendem Hofnarren machte, verriet ihn bisweilen. Sie ging weiter, als er beabsichtigte; er missfiel den Leuten mit seiner anscheinend unterwürfigen Höflichkeit; seine Sätze waren wortreicher als nötig, zudem befrachtete er sie mit leeren Floskeln wie mit Farben und Schnörkeln. Ein redegewandter Indio von der Art, wie sie Mitte des 16. Jahrhunderts der andalusische Arzt Juan Cárdenas in Neuspanien vorfand.

Ein honigsüßer Indio und doch zum Fürchten.

Aber nicht das wollte ich erzählen, sondern dass Jesús sich auf einmal gewissermaßen feierlich gebärdete und mich um eine Gabe bat:

«Ich möchte», sagte er, «wenn es dem Herrn nicht ungelegen kommt, dass er mir eine Magna Charta schenkt.»

«Eine Magna Charta, Jesús? Ein Exemplar der Verfassung? Wozu möchtest du sie denn?»

«Um die Menschenrechte kennenzulernen. Ich glaube an die Freiheit, der jetzige Zustand darf nicht noch schlimmer werden, Herr.»

Mittlerweile vernachlässigte er den Garten immer mehr, und einige Rosensträucher waren bereits verdorrt.

Eines Tages ging Jesús in sein Dorf zurück, aber er blieb dort nur einen Monat. Was war mit Jesús los? Was für ein Schatten seiner selbst kam nach kurzer Zeit wieder zu uns, was für ein klägliches Konterfei war aus Jesús geworden? Seine ganze Kraft und Stärke schien aufgesaugt wie Wasser von ausgedörrter Erde. Er sprach kaum noch, rührte sich nicht. Der Alte beachtete die Blumen nicht, wollte auch von Politik

flores ni de la política. Dijo que quería irse al cerro. Le pregunté si ya no quería luchar por la libertad. No; me dijo que sólo había venido a regalarme unos pollos; que ahora iba a vender pollos. Inútilmente quise irritar su curiosidad con algunas noticias alarmantes: la revolución había comenzado; ya se iban a cumplir, fielmente, los preceptos de la Carta Magna. No me hizo caso.

– Hora voy a vender pollos.

– Pero ¿no te cansas de ir y venir por esos caminos, trotando con el huacal a la espalda?

– ¡Ah, qué niño! ¡Si estoy retejuerte!

Y cuando salió a la calle lo vi sentarse en la acera, junto a su huacal, y me pareció que movía los labios. ¿Estará rezando? pensé. No: Jesús hablaba, y no a solas: hablaba con una india, también vendedora de pollos, que estaba sentada frente a él en la acera opuesta. Los indios tienen un oído finísimo. Charlan en voz baja y dialogan así, en su lengua, largamente, por sobre el bullicio de la ciudad. La india, flaca y mezquina, tenía la misma cara atónita de Jesús.

Estos indios venían a la ciudad – estoy convencido – más que a vender pollos, a sentirse sumergidos en el misterio de una civilización que no alcanzan; a anonadarse, a aturdirse, a buscar un éxtasis de exotismo y pasmo.

Nunca entenderé cómo fue que Jesús, a punto ya de convertirse en animal consciente y político, se derrumbó otra vez por la escala antropológica, y prefirió sentarse en la calle de la vida, a verla pasar sin entenderla.

nichts wissen. Er sagte, er möchte gern im Gebirge leben. Ich fragte ihn, ob er nicht mehr für die Freiheit kämpfen wolle. Nein; er sei nur gekommen, um mir ein paar Hühner zu schenken; von jetzt an werde er Hühner verkaufen. Vergeblich versuchte ich mit einigen beunruhigenden Meldungen seine Neugierde anzustacheln; die Revolution habe begonnen, jetzt würden die Forderungen der Magna Charta wortgetreu verwirklicht. Er beachtete mich nicht.

«Jetzt will ich Hühner verkaufen.»

«Aber ist es dir nicht zu anstrengend, mit dem Tragkorb auf dem Rücken den langen Weg in die Stadt und wieder zurück unter die Füße zu nehmen?»

«Ach was, Herr! Ich bin doch voller Kraft und Saft!»

Als er auf die Straße hinausging, sah ich, dass er sich auf den Gehsteig neben seinen Tragkorb setzte, und es schien mir, als bewege er seine Lippen. Betete er womöglich? dachte ich. Nein; Jesús redete, aber nicht mit sich selbst: er redete mit einer Indio-Frau, die auch Hühner verkaufte und auf dem gegenüberliegenden Gehsteig saß. Die Indios haben ein sehr feines Gehör; sie sprechen ganz leise und unterhalten sich so in ihrer Sprache über lange Zeit, überspielen sogar den Lärm der Großstadt. Die Frau war ebenfalls mager und klein und staunte genau so vor sich hin wie Jesús.

Diese Indios, davon bin ich überzeugt, kommen gar nicht in die Stadt, um Hühner zu verkaufen, sondern um in die geheimnisvolle Zivilisation einzutauchen, zu der sie nie Zugang finden werden; um sich zu betäuben und aufschlucken zu lassen, sich zu berauschen am Fremdartigen, am Staunen.

Nie werde ich verstehen, wie es dazu kam, dass Jesús genau an dem Punkt, da er zu einem bewussten politischen Wesen wurde, die Leiter des menschlichen Aufstiegs hinunterpurzelte und sich an den Straßenrand des Lebens setzte, um es vorüberziehen zu sehen, ohne es zu verstehen.

Octavio Paz
El ramo azul

Desperté, cubierto de sudor. Del piso de ladrillos
rojos, recién regado, subía un vapor caliente. Una
mariposa de alas grisáceas revoloteaba encandilada
alrededor del foco amarillento. Salté de la hamaca
y descalzo atravesé el cuarto, cuidando no pisar
algún alacrán salido de su escondrijo a tomar el
fresco. Me acerqué al ventanillo y aspiré el aire
del campo. Se oía la respiración de la noche, enorme, femenina. Regresé al centro de la habitación
vacié el agua de la jarra en la palangana de peltre
y humedecí la toalla. Me froté el torso y las piernas con el trapo empapado, me sequé un poco y,
tras de cerciorarme que ningún bicho estaba escon-
dido entre los pliegues de mi ropa, me vestí y cal-
cé. Bajé saltando la escalera pintada de verde. En
la puerta del mesón tropecé con el dueño, sujeto
tuerto y reticente. Sentado en una sillita de tule,
fumaba con el ojo entrecerrado. Con voz ronca
me preguntó:
— ¿Onde va, señor?
— A dar una vuelta. Hace mucho calor.
— Hum, todo está ya cerrado. Y no hay alumbra-
do aquí. Más le valiera quedarse.
   Alcé los hombros, musité «ahora vuelvo» y
me metí en lo obscuro. Al principio no veía nada.
Caminé a tientas por la calle empedrada. Encendí
un cigarrillo. De pronto salió la luna de una nube
negra, iluminando un muro blanco, desmoronado
a trechos. Me detuve, ciego ante tanta blancura.

Octavio Paz
Der blaue Strauß

Ich erwachte schweißgebadet. Vom roten Fliesenboden, der soeben mit Wasser besprengt worden war, stieg warmer Dampf auf. Ein Falter mit graugemusterten Flügeln flatterte geblendet um die gelbliche Lichtquelle herum. Ich sprang aus der Hängematte und ging barfuß durch das Zimmer, aber vorsichtig, um nicht auf einen Skorpion zu treten, der vielleicht aus seinem Schlupfloch an die frische Luft gekrochen war. Ich ging zum Fenster und atmete die Landluft ein. Man hörte den Atem der weiten mütterlichen Nacht. Ich ging wieder in die Mitte des Zimmers, leerte den Wasserkrug ins metallene Waschbecken und benetzte das Handtuch, rieb den Oberkörper und die Beine mit dem nassen Lappen ab, trocknete mich ein wenig, vergewisserte mich, ob sich kein Ungeziefer in den Falten meiner Kleider verkrochen hatte, zog mich an und schlüpfte in die Schuhe. Ich sprang die grüngestrichene Treppe hinunter. Unter der Tür des Gasthauses traf ich auf den Besitzer, einen einäugigen hinterlistigen Mann. Er saß mit halbgeschlossenem Auge auf einem Korbstühlchen und rauchte. Mit heiserer Stimme fragte er mich:

«Wohin des Wegs, Señor?»

«Ein wenig spazieren. Es ist sehr heiß.»

«Hm, es ist schon alles geschlossen. Und Beleuchtung gibt es auch keine hier. Bleiben Sie doch lieber da.»

Ich zuckte mit den Schultern, brummelte «ich bin gleich wieder zurück» und tauchte ins Dunkel. Zuerst sah ich überhaupt nichts. Tastend ging ich entlang der gepflasterten Straße. Ich zündete mir eine Zigarette an. Auf einmal schien der Mond aus einer schwarzen Wolke hervor und beleuchtete eine weiße Mauer, die stellenweise abgebröckelt war.

Sopló un poco de viento. Respiré el aire de los tamarindos. Vibraba la noche, llena de hojas e insectos. Los grillos vivaqueaban entre las hierbas altas. Alcé la cara: arriba también habían establecido campamento las estrellas. Pensé que el universo era un vasto sistema de señales, una conversación entre seres inmensos. Mis actos, el serrucho del grillo, el parpadeo de la estrella, no eran sino pausas y sílabas, frases dispersas de aquel diálogo. ¿Cuál sería esa palabra de la cual yo era una sílaba? ¿Quién dice esa palabra y a quién se la dice? Tiré el cigarrillo sobre la banqueta. Al caer, describió una curva luminosa, arrojando breves chispas, como un cometa minúsculo.

Caminé largo rato, despacio. Me sentía libre, seguro entre los labios que en ese momento me pronunciaban con tanta felicidad. La noche era un jardín de ojos. Al cruzar una calle, sentí que alguien se desprendía de una puerta. Me volví, pero no acerté a distinguir nada. Apreté el paso. Unos instantes después percibí el apagado rumor de unos huaraches sobre las piedras calientes. No quise volverme, aunque sentía que la sombra se acercaba cada vez más. Intenté correr. No pude. Me detuve en seco, bruscamente. Antes de que pudiese defenderme, sentí la punta de un cuchillo en mi espalda y una voz dulce:

– No se mueva, señor, o se lo entierro.

Sin volver la cara, pregunté:

– ¿Qué quieres?

– Sus ojos, señor – contestó la voz suave, casi apenada.

– ¿Mis ojos? ¿Para qué te servirán mis ojos? Mira, aquí tengo un poco de dinero. No es mucho,

Geblendet von dem Weiß blieb ich stehen. Ein leiser Wind wehte. Ich sog den Tamarindenduft ein. Die Nacht erzitterte vor lauter Blättern und Insekten. Im hohen Gras hockten Grillen. Ich hob den Kopf: oben hatten auch die Sterne ihren Platz eingenommen. Ich dachte, die Welt müsse ein unermessliches Gefüge von Zeichen sein, ein Gespräch zwischen riesenhaften Wesen. Meine Bewegungen, das Grillengezirp, das Sternengefunkel waren nichts anderes als Pausen und Silben, verstreute Sätze jenes Gesprächs. Welches war wohl das Wort, von dem ich eine Silbe war? Wer sagt dieses Wort und zu wem? Ich warf die Zigarette auf den Gehsteig. Beim Aufprall beschrieb sie einen leuchtenden Bogen, einzelne Funken sprangen weg wie von einem winzigen Kometen.

Ich ging ziemlich lange und ganz langsam. Ich fühlte mich frei und geborgen zwischen den Lippen, die in diesem Augenblick meinen Namen so unendlich selig aussprachen. Die Nacht war ein Garten aus lauter Augen. Als ich eine Straße überquerte, spürte ich, dass jemand sich von einem Hauseingang löste. Ich drehte mich um, konnte aber nichts erkennen. Ich beschleunigte den Schritt. Etwas später nahm ich das leise Schlurfen von Bastsandalen auf dem warmen Pflaster wahr. Ich wollte mich nicht umdrehen, obwohl ich spürte, dass der Schatten immer näher kam. Ich versuchte zu laufen. Ich konnte nicht. Ich blieb unvermittelt bocksteif stehen. Bevor ich mich wehren konnte, spürte ich eine Messerspitze im Rücken und eine sanfte Stimme:

«Rühren Sie sich nicht, Señor, oder ich steche zu.»

Ohne mich umzusehen, fragte ich:

«Was willst du?»

«Ihre Augen, Herr», antwortete die sanfte Stimme fast bedauernd.

«Meine Augen? Was nützen dir meine Augen? Schau, da habe ich ein wenig Geld. Nicht viel, aber immerhin etwas.

pero es algo. Te daré todo lo que tengo, si me dejas. No vayas a matarme.

– No tenga miedo, señor. No lo mataré. Nada más voy a sacarle los ojos.

Volví a preguntar:

– Pero, ¿para qué quieres mis ojos?

– Es un capricho de mi novia. Quiere un ramito de ojos azules. Y por aquí hay pocos que los tengan.

– Mis ojos no te sirven. No son azules, sino amarillos.

– Ay, señor, no quiera engañarme. Bien sé que los tiene azules.

– No se le sacan a un cristiano los ojos así. Te daré otra cosa.

– No se haga el remilgoso, me dijo con dureza. Dé la vuelta.

Me volví. Era pequeño y frágil. El sombrero de palma le cubría medio rostro. Sostenía con el brazo derecho un machete de campo, que brillaba con la luz de la luna.

– Alúmbrese la cara.

Encendí un fósforo y me acerqué la llama al rostro. El resplandor me hizo entrecerrar los ojos. Él apartó mis párpados con mano firme. No podía ver bien. Se alzó sobre las puntas de los pies y me contempló intensamente. La llama me quemaba los dedos. La arrojé. Permaneció un instante silencioso.

– ¿Ya te convenciste? No los tengo azules.

– Ah, qué mañoso es usted – respondió –. A ver, encienda otra vez.

Froté otro fósforo y lo acerqué a mis ojos. Tirándome de la manga, me ordenó:

– Arrodíllese.

Ich gebe dir alles, was ich habe, wenn du mich gehen lässt. Du wirst mich doch nicht umbringen.»

«Haben Sie keine Angst, Herr. Ich will Sie nicht töten. Ich will nur Ihre Augen ausstechen.»

Ich fragte nochmals:

«Aber wozu willst du meine Augen?»

«Es ist eine Laune meiner Braut. Sie möchte ein Sträußchen blauer Augen. Und hier herum gibt es wenige Leute mit blauen Augen.»

«Meine Augen nützen dir nichts. Sie sind nicht blau, sondern gelb.»

«Ach, Señor, Sie wollen mich ja nur betrügen. Ich weiß sehr wohl, dass Sie blaue haben.»

«Man sticht einem Christenmenschen nicht einfach so die Augen aus. Ich gebe dir etwas anderes.»

«Zieren Sie sich nicht», sagte er hart, «drehen Sie sich um.»

Ich drehte mich um. Er war klein und zart. Der Palmenstrohhut verdeckte ihm das halbe Gesicht. Im rechten Arm hielt er ein Buschmesser, das im Mondlicht blitzte.

«Beleuchten Sie Ihr Gesicht.»

Ich zündete ein Streichholz an und hielt die Flamme ans Gesicht. Der Glanz zwang mich, die Augen zuzukneifen. Er drückte mit kräftiger Hand meine Lider auseinander. Er konnte nicht genau sehen. Er stellte sich auf die Zehenspitzen und betrachtete mich angespannt. Die Flamme brannte mich am Finger. Ich warf sie weg. Einen Augenblick lang schwieg er.

«Glaubst du mir nun? Sie sind nicht blau.»

«Ach, wie hinterlistig Sie doch sind», antwortete er. «Also, zünden Sie nochmals an.»

Ich entfachte ein weiteres Streichholz und hielt es mir an die Augen. Er zog mich am Ärmel und befahl:

«Knien Sie nieder.»

Me hinqué. Con una mano me cogió por los cabellos, echándome la cabeza hacia atrás. Se inclinó sobre mí, curioso y tenso, mientras el machete descendía lentamente hasta rozar mis párpados. Cerré los ojos.

– Ábralos bien – ordenó.

Abrí los ojos. La llamita me quemaba las pestañas. Me soltó de improviso.

– Pues no son azules, señor. Dispense.

Y desapareció. Me acodé junto al muro, con la cabeza entre las manos. Luego me incorporé. A tropezones, cayendo y leventándome, corrí durante una hora por el pueblo desierto. Cuando llegué a la plaza, vi al dueño del mesón, sentado aún frente a la puerta. Entré sin decir palabra. Al día siguiente huí de aquel pueblo.

Ich tat es. Mit einer Hand packte er mich an den Haaren und drückte meinen Kopf nach hinten. Er beugte sich neugierig und gespannt über mich, derweilen das Messer sich langsam senkte, bis es meine Wimpern berührte. Ich schloss die Augen.

«Machen Sie sie weit auf», befahl er.

Ich öffnete die Augen. Das Flämmchen versengte mir die Wimpern. Plötzlich ließ er mich los.

«Sie sind wirklich nicht blau, Señor. Entschuldigen Sie.»

Er verschwand. Ich stützte mich mit den Ellenbogen an der Mauer und barg das Gesicht in meine Hände. Dann richtete ich mich auf. Ich fing an zu laufen, stolperte, fiel hin, stand wieder auf, irrte so eine Stunde lang durch das verlassene Dorf. Als ich zum Hauptplatz kam, saß der Besitzer des Gasthauses immer noch vor der Tür. Wortlos ging ich hinein. Am anderen Tag machte ich mich aus dem Staub.

José Revueltas
Verde es el color de la esperanza

Desde la cama y al inclinar la cabeza hacia adelante,
apoyado el cuerpo en el antebrazo, advirtió a su
mujer, que en esos momentos, como de costumbre
todas las mañanas, vestía a los pequeños. A los
pequeños tan asombrosamente graves, los dos, con
sus ojos y sus razones y sus cerebros.

Ahí estaban ellos silenciosos y lo terrible era
haber abandonado los sedantes corredores de hacía
un minuto, la manzana rota y aquello suave, negro,
que se le había escurrido tan sin saber por qué
al sólo regresar nuevamente a la vigilia clarísima,
hiriente, de la habitación, de los hijos, de la carta,
la esperada, prodigiosa carta.

Por grados su mujer volvíase más fea. Ayer lo
fue menos, desde luego, fea y enigmática, y aunque
no las tuviese hoy sobre el cráneo, encima, las canas
sucias que ayer, desde luego, no estaban ahí. Tal
vez proque la carta no había llegado, o, sí, nada más
un efecto de luz, de la luz solar blanda, terrestre.

– Te aseguro – dijo para tranquilizarla – que hoy
llega. No puede pasar de hoy.

Aunque estas mismas palabras las había pro-
nunciado ya otros días, iguales, sólo que entonces
el cielo estuvo nublado y la voz, al decirlas, casi le
dudó un tanto, como si él tampoco creyese en la
carta.

Los carteros no se equivocan nunca: son como ángeles materiales y llegan a las puertas con sollozos,
con mentiras, con honores, con nombramientos, con

José Revueltas
Grün ist die Farbe der Hoffnung

Wenn er im Bett den Kopf ein wenig vorneigte und den Oberkörper auf den Unterarm stützte, sah er seine Frau, die wie jeden Morgen um diese Zeit die Kinder ankleidete. Erstaunlich ernst wirkten die Kleinen, alle beide, mit ihren Augen, ihrem Reden, ihrem Denken.

Da hatte er sie vor sich, kein Laut war zu vernehmen, aber als besonders schlimm empfand er es, aus den vor einer Minute noch so beruhigenden Gefilden herausgerissen zu sein – entschwunden war der gestückelte Apfel, das weiche Schwarz, ohne dass er wusste warum, einzig weil er wieder in die schmerzende Helle des Zimmers, der Kinder, des Briefes, des erhofften Wunderbriefes erwacht war.

Seine Frau wurde zusehends hässlicher. Gestern noch war sie natürlich weniger hässlich und rätselhaft gewesen, auch wenn sie heute die schmutzigen grauen Haarsträhnen nicht auf dem Kopf hätte, die gestern selbstverständlich noch nicht da gewesen waren. Vielleicht weil der Brief noch nicht gekommen war, oder vielleicht war es nur die Wirkung des Lichts, des weichen irdischen Sonnenlichts.

«Ich bin sicher», sagte er, um sie zu beruhigen, «dass er heute kommt. Es kann nicht mehr länger dauern.»

Das Gleiche hatte er allerdings an den Tagen zuvor auch schon gesagt, mit genau denselben Worte, nur war der Himmel damals bewölkt gewesen, und beim Aussprechen hatte seine Stimme ein wenig gezaudert, als ob er selbst auch nicht ganz an den Brief geglaubt hätte.

Die Briefträger irren sich nie: sie sind wie körperhafte Engel, klopfen an die Türen und bringen Schluchzer, Lügen, Ehrenmeldungen, Ernennungen, Leichen, je nach dem. Im-

cadáveres. Su mujer, no obstante, podría escuchar mal, confundirse, decir al cartero que ahí no u otra cosa.

– Mira. Será un sobre tamaño oficio. Con membrete.

Echó las piernas fuera de la cama y miró sus pies y las uñas.

Entonces podría comprar un abrigo, inscribir a los dos niños en la escuela, mandar a su mujer con el médico y tantas cosas más, cortinas, zapatos, sábanas.

No lloraban desde hacía mucho tiempo y dentro de su pequeñez eran como seres maduros, de mucha edad y muchos pensamientos.

– ¿Qué quieren que les traiga? – los interrogó, engañándose a sí mismo como todas las mañanas.

Si lloraran serían como niños verdaderamente.

El mayorcito apretó los labios:

– Un pan con mantequilla – dijo.

Eran dos arbolitos sin hojas, graves para siempre.

– Sí, sí. Todo. Muy pronto. Un pan. Un ferrocarril de jugete, también.

El niño negó, muy serio:

– No. Sólo un pan. Un pan con mantequilla.

Al volverse la mujer, su marido ya tenía los zapatos puestos. El hombre no pudo menos que mirar de nuevo el rostro que dos meses antes no era así y que, en efecto, jamás había sido así, sólo que las cosas ocurrían de otra manera.

– Acaba de vestirte para que desayunemos.

Él obedeció con docilidad infinita, colocándose los pantalones.

– ¿Qué te parecería – dijo – comprar el terreno por Mixcoac o San Ángel, entre grandes árboles, y ahí tener la casa y un jardín para los niños?

merhin könnte seine Frau falsch verstanden, etwas durcheinander gebracht oder dem Briefträger gesagt haben, hier nicht oder so etwas.

«Schau, es wird sich um einen großen amtlichen Umschlag handeln. Mit Briefkopf.»

Er schwang die Beine aus dem Bett und schaute seine Füße und Zehennägel an.

Dann könnte er einen Mantel kaufen, die beiden Kinder in einer Schule anmelden, die Frau zum Arzt schicken und noch vieles mehr, Vorhänge, Schuhe, Bettwäsche.

Seit langem schon hatten die Kinder nicht mehr geweint, und bei aller Kindlichkeit waren sie wie Erwachsene, wirkten alt und sehr nachdenklich.

«Was soll ich euch bringen?» fragte er und täuschte sich dabei selbst etwas vor, wie jeden Morgen.

Wenn sie weinen würden, wären sie wie richtige Kinder.

Der Größere presste die Lippen zusammen:

«Ein Butterbrot», sagte er.

Sie waren zwei Bäumchen ohne Laub, ernst und bedrückt für immer.

«Ja, ja, alles. Sofort. Ein Brot. Eine Spielzeugeisenbahn dazu.»

Der Junge schüttelte den Kopf und sagte ganz ernst:

«Nein, nur ein Brot. Ein Butterbrot.»

Als die Frau sich umdrehte, hatte ihr Mann schon die Schuhe an. Der Mann konnte nicht umhin, nochmals das Gesicht anzuschauen, das vor zwei Monaten noch nicht so ausgesehen hatte, in der Tat nie so gewesen war, aber es war eben alles anders herausgekommen.

«Zieh dich fertig an, damit wir frühstücken können.»

Er gehorchte unendlich willfährig und zog die Hosen an.

«Was meinst du», sagte er, «das Grundstück in Mixcoac oder das in San Angel kaufen, mit großen Bäumen drauf, und da das Haus bauen, mit einem Garten für die Kinder?»

Fingieron disputar si mejor en otro sitio con un aire más sano y transparente, y parecía como si en realidad disputasen, pero brillaban sus ojos con una luz muy tierna y esperanzada para que aquello fuese siquiera discusión, antes al contrario tal vez nuevo cariño, más hondo de lo que ellos creían.

Los dos chicos corrieron hacia la mesa para tomar el té en que consistía todo el desayuno, mientras su padre se miraba en el espejo con muchísimo asombro de verse, de examinar su mirada opaca, sus pómulos, los dientes sin aseo.

La carta sería de la Presidencia o de Gobernación, él no estaba bien seguro, con membrete oficial. Quizá dentro de un sobre amarillo, largo, que es donde se remiten los oficios, comunicaciones, nombramientos. Los carteros son muy diligentes, cumplen su deber como sin fatiga, a través de las calles, los barrios, las ciudades.

– Bueno – concluyó, convencido en lo absoluto –, definitivamente lo compraremos en San Ángel.

¿Quién sabe si se extraviara o llevase la dirección mal puesta? Luego en las oficinas ocurre que hay un descuido espantoso, una pereza. Amontónanse expedientes, legajos, archivos. A los ojos del simple burócrata sin corazón una carta carece de individualidad, de vida. Ocurre así. Aunque esa carta sea inmensa y entrañable.

Primero sacudía su escritorio, para sentarse después con la pluma entre las manos, orgulloso de ser uno de los mejores escribientes del mundo. Todos los días, en ese justo minuto, sonaban las nueve de la mañana.

No podría olvidarlo, después de veinte años.

– Me gustará – le dijo a su mujer, desde el espejo

Sie taten, als stritten sie, ob vielleicht doch lieber an einem andern Ort mit gesünderer Luft, und es hörte sich an, als stritten sie wirklich, aber ihre Augen glänzten so weich und hoffnungsfroh, dass das kein Streit sein konnte, im Gegenteil, eher eine neue Zärtlichkeit, eine innigere, als sie selber glaubten.

Die beiden Kinder eilten zum Esstisch, um ihren Tee zu trinken – das war ihr ganzes Frühstück – währenddessen betrachtete sich ihr Vater im Spiegel, staunte über sein Aussehen, seinen stumpfen Blick, seine Wangen, seine ungeputzten Zähne.

Der Brief sollte von der Präsidentschaft oder von der Regierung kommen, er wusste es nicht genau, und den amtlichen Absender tragen. Vielleicht in einem gelben, langen Umschlag, wie er für offizielle Mitteilungen und Ernennungen üblich ist. Die Briefträger sind sehr beflissen, erfüllen ihre Dienstpflicht unermüdlich in den Straßen, Quartieren und Städten.

«Also», schloss er in voller Überzeugung, «wir kaufen nirgends anders als in San Angel.»

Wer weiß denn, ob er verloren gegangen sein könnte oder ob die Adresse ungenau war? Es kommt ja vor, dass in den Büros Unachtsamkeit und Nachlässigkeit herrschen. Es häufen sich Unterlagen, Dokumente, Archivbelege an. In den Augen eines einfachen, herzlosen Bürodieners hat ein Brief keine Persönlichkeit, kein Eigenleben. Das kommt vor. Auch wenn dieser Brief unermesslich bedeutungsvoll und lebenswichtig ist.

Zuerst schüttelte er sein Schreibzeug, um sich dann mit der Feder in der Hand hin zu setzen, stolz darauf, einer der besten Schreiber der Welt zu sein. Jeden Tag schlug es genau dann neun Uhr morgens.

Wie könnte er das vergessen, nach zwanzig Jahren!

«Ich möchte gern», sagte er vom Spiegel her zu seiner

– ir al campo los domingos y llevar un pollo frito y manzanas …

La mujer le dirigió una mirada de reproche a tiempo que significativamente señalaba a los pequeños.

Él se encogió de hombros:

– Mira – dijo con seguridad –, hoy llega esa carta. Lo sé bien. A otros les ha llegado. Yo no puedo ser una excepción. Tendremos entonces pollo y fruta y todo cuanto podamos desear.

Uno de los mejores escribientes del mundo, con una de las más bellas letras que se hayan conocido, así que no podrían, de ninguna manera, olvidarlo, ni olvidar sus veinte años de trabajo.

Al principio no pudo entender en una forma completa cómo, de súbito, terminaron esos veinte años para siempre.

Miró alucinado el rostro del jefe.

Tan no pudo entender que al otro día acudió, y ya en las puertas mismas de la oficina se sintió extraño, solitario y muerto, como si nadie le tuviese el menor cariño en la tierra. Dejaba de pertenecer a aquel hermoso sistema de papeles, de cifras, de jerarcas, y todo era vacío, definitivamente triste.

Había que tratar bien al cartero, pues suele ocurrir en ellos, que aun siendo obligación suya la de entregar las cartas, abriguen animadversión contra cualquier destinatario y con este o aquel pretexto no le hagan entrega de su correspondencia.

– ¡Fíjate bien! ¡Será un sobre grande y encima mi nombre, escrito a máquina!

Si nada más lloraran los dos niños serían como cosas vivas y menos dolorosas. Pero estaban viejos, sin voz, y llenos de experiencia, de ideas, de conocimiento de la vida.

Frau, «jeden Sonntag mit den Kindern aufs Land fahren und ein gebratenes Huhn und Äpfel mitnehmen ...»

Die Frau warf ihm einen vorwurfsvollen Blick zu und deutete unmissverständlich auf die Kinder.

Er zuckte mit den Schultern: «Schau», sagte er mit Nachdruck, «heute kommt dieser Brief. Ich weiß es genau. Andere haben ihn auch bekommen. Ich kann keine Ausnahme sein. Dann können wir uns Huhn und Obst leisten und alles, was wir uns wünschen.»

Einer der besten Schreiber der Welt mit einer der schönsten Handschriften, die man je gesehen hat, also könnte man ihn auf keinen Fall vergessen, und auch seine zwanzig Dienstjahre könnten niemals vergessen werden.

Anfangs konnte er gar nicht voll verstehen, wie diese zwanzig Jahre plötzlich für immer vorbei sein sollten.

Er schaute seinen Vorgesetzten entgeistert an.

So ganz und gar nicht konnte er verstehen, dass er am andern Tag hinging und sich erst an der Tür zum Büro fremd, einsam und tot vorkam, so als empfinde niemand auf der Welt die leiseste Zuneigung für ihn. Er gehörte nicht mehr in das Ordnungsgefüge von Papieren, Ziffern, Amtsträgern, und alles war leer und für immer trostlos.

Mit dem Briefträger musste man sich gut stellen, denn obwohl sie zur Verteilung der Post verpflichtet sind, kann es bei ihnen vorkommen, dass sie gegen irgendeinen Empfänger eine Abneigung hegen und unter diesem oder jenem Vorwand ihm seine Post nicht aushändigen.

«Merke es dir gut! Es wird ein großer Umschlag sein, und darauf steht mein Name in Maschinenschrift!»

Wenn die Kinder doch einfach weinen würden, dann wären die beiden etwas Lebendiges, und alles wäre weniger schmerzlich. Aber sie wirkten alt, hatten keine Stimme mehr, dafür wussten sie Bescheid, hatten ihre eigenen Ansichten und große Lebenserfahrung.

– Toma el té. Es lo único que hay. Siquiera que te caiga algo caliente.

Él observó el pocillo de peltre, desportillado en algunas partes y se puso a pensar en muchas cosas que antes no advertía. Recordaba que su mujer era de rasgos finos y cálidos, con su mentón especialmente suave, mientras hoy los pómulos mostrábanse furibundos y el rostro se había tornado ancho, crecido. Crecíale asimétricamente, sin concierto y como si las mismas líneas sufrieran al crecer dentro de un espacio opositor y agudo, más triste a cada minuto.

Ella ignoraba todo lo ocurrido en la oficina y que el hombre era incapaz de cualquier trabajo, pues únicamente tenía la letra más hermosa del mundo, la más bien hecha. Lo observaba como siempre, sólo que con algo allá adentro que no se podría comprender jamás.

– Seguramente será una carta muy amplia y extensa – dijo el hombre a la mitad del cuarto, mientras los tirantes le colgaban por detrás.

Lo asombroso era que los dos hijos no tuviesen una sola queja aunque se les veía el hambre sobre la piel, extendiéndose como barniz.

De no llegar a la casa aquella communicación, iría, sin duda, a la lista de correos, ya que ahí todo encuentra su orden, pues nada existe más bien organizado, más eficiente, que el correo, donde saben cómo se llama uno y si trabaja o no y hasta si tiene hijos.

Sonreíale diariamente aquel hombre del correo tras la ventanilla.

– No, señor. No tiene usted carta.

Es imposible que una carta se pierda, aunque, de cierto, la manejan muchas manos y transita como en un sueño mágico desde el buzón hasta su destino.

«Trink deinen Tee. Es gibt sonst nichts. So kommst du wenigstens zu etwas Warmem.»

Er schaute lange die Weißmetalltasse an, die an einigen Stellen abgeschlagen war, und dachte dabei an manches, was er früher nicht beachtet hatte. Es wurde ihm bewusst, dass seine Frau ein feines warmherziges Gesicht gehabt hatte, ein besonders weiches Kinn, während heute die Backenknochen zornig herausstanden und iher Züge übergroß und zu breit wirkten. Ihr Gesicht war einseitig gewachsen, hatte seine Einheitlichkeit verloren, ihre Züge hatten sich unter den scharfen Gegenkräften während des Wachstums verzerrt und wirkten mit jeder Minute trauriger.

Sie wusste nicht, was im Büro vorgefallen war, und dass ihr Mann zu keiner anderen Arbeit taugte, denn er hatte nichts außer einer der schönsten Handschriften der Welt, die am besten gestaltete. Sie beobachtete ihn wie immer, aber da drin war etwas, was sie nie würde begreifen können.

«Sicher wird es ein umfangreicher ausführlicher Brief sein», sagte der Mann mitten im Zimmer, und immer noch baumelten ihm hinten die Hosenträger herab.

Erstaunlich war, dass die beiden Kinder keine einzige Klage hatten, obwohl ihnen der Hunger an der Haut anzusehen war – wie ein Firnis breitete er sich darauf aus.

Wenn die Mitteilung nicht nach Hause geschickt wurde, musste er sie wohl auf der Post abholen, denn dort hat alles seine Ordnung, nichts ist besser organisiert, nichts wirksamer als die Post, dort wissen sie, wie jemand heißt, wer Arbeit hat und wer nicht, sogar ob jemand Kinder hat.

Jeden Tag lächelte ihm der Schalterbeamte hinter dem Fenster zu:

«Nein, Señor, es ist kein Brief für Sie da.»

Ein Brief kann unmöglich verloren gehen, obwohl er ja bestimmt durch viele Hände gereicht wird und den Weg vom Einwurf bis zum Bestimmungsort wie in einem Märchen-

En el edificio de correos conoció a una familia indígena: sentábanse el hombre, la mujer y los hijos, junto a la Lista, para aguardar una carta que debería llegarles. Era mucho más seguro estar ahí, que no se escapase, y ver a cada momento si, prodigiosamente como todo lo del correo, de pronto figuraba ya el nombre debajo de los demás, alegre, profundo.

El jefe y el subjefe lo miraron tan abatido, ahí frente a ellos sin saber qué decir, con una sonrisa de lágrimas en el rostro completamente estúpido y humilde, que el subjefe le tocó el hombro:

— No se preocupe. El gobierno no puede dejar de utilizar sus servicios algún día nuevamente. Tenga por seguro que lo llamarán otra vez.

Y eran palabras del subjefe, siempre noble, severo, digno, a las cuales no podría dejárseles de dar crédito.

Comenzó a sentir el miedo cuando justamente se aproximó para tomar su desayuno. Los tirantes no le colgaban ya tras las espaldas, sino que, bien firmes, manteníanle sujeto el pantalón, negro y viejo.

Le temblaban las manos y no quiso levantar los ojos de sobre el pocillo de té. Ahora comprendía por qué estaba ella tan fea y por qué sus rasgos se iban agravando con lentitud.

— ¿No hay tal carta, verdad? — preguntó como si su voz fuera una racha de viento doloroso.

Entonces él permaneció firmemente callado, con el corazón lleno de pavor y soledad, pues si dijese las cosas como eran, ya nada le quedaría en el mundo.

traum zurücklegt. Im Postgebäude lernte er eine Indio-Familie kennen: der Mann, die Frau und die Kinder saßen nahe beim Schalter und warteten auf einen Brief, den sie bekommen sollten. Es war viel sicherer, dort zu bleiben, damit er ihnen nicht entwischte, und jeden Augenblick zu sehen, ob wunderbarerweise wie immer bei der Post auf einmal ihr Name doch ganz unten auftauchte, fröhlich, ganz zu unterst.

Der Posthalter und sein Stellvertreter schauten ihn an: tief niedergeschlagen stand er vor ihnen, wusste nicht, was sagen, und lächelte mit Tränen in den Augen so ergeben und töricht, dass ihm der Vizeposthalter die Hand auf die Schulter legte:

«Sorgen Sie sich nicht. Die Regierung wird Ihre Dienste bestimmt eines Tages wieder benötigen. Nehmen Sie es als sicher, dass Sie eines Tages wieder berufen werden.»

Es waren die Worte des Posthalterstellvertreters, des stets edlen, ernsten, würdigen Herrn, und er konnte nicht umhin, ihnen Glauben zu schenken.

Er fing genau dann an, Angst zu verspüren, als er zum Frühstück an den Tisch trat. Die Hosenträger hingen ihm nicht mehr herab, sie hielten straff die alten schwarzen Hosen fest.

Die Hände zitterten ihm, und er sträubte sich, von der Teetasse aufzuschauen. Jetzt war im klar, warum seine Frau so hässlich war und warum ihr Züge allmählich immer mehr verhärmten.

«Es gibt keinen solchen Brief, nicht wahr?» fragte sie, als wäre ihre Stimme ein schmerzender Windstoß.

Er schwieg beharrlich, Bangigkeit und Verlassenheit nahmen sein Herz in Besitz: wenn er nämlich die Dinge so sagte, wie sie waren, dann bliebe ihm gar nichts mehr auf dieser Welt.

Juan José Arreola
Parábola del trueque

Al grito de «¡Cambio esposas viejas por nuevas!» el mercader recorrió las calles del pueblo arrastrando su convoy de pintados carromatos.

Las transacciones fueron muy rápidas, a base de unos precios inexorablemente fijos. Los interesados recibieron pruebas de calidad y certificados de garantía, pero nadie pudo escoger. Las mujeres, según el comerciante, eran de veinticuatro quilates. Todas rubias y todas circasianas. Y más que rubias, doradas como candeleros.

Al ver la adquisición de su vecino, los hombres corrían desaforados en pos del traficante. Muchos quedaron arruinados. Sólo un recién casado pudo hacer cambio a la par. Su esposa estaba flamante y no desmerecía ante ninguna de las extranjeras. Pero no era tan rubia como ellas.

Yo me quedé temblando detrás de la ventana, al paso de un carro suntuoso. Recostada entre almohadones y cortinas, una mujer que parecía un leopardo me miró deslumbrante, como desde un bloque de topacio. Presa de aquel contagioso frenesí, estuve a punto de estrellarme contra los vidrios. Avergonzado, me aparté de la ventana y volví el rostro para mirar a Sofía.

Ella estaba tranquila, bordando sobre un nuevo mantel las iniciales de costumbre. Ajena al tumulto, ensartó la aguja con sus dedos seguros. Sólo yo que la conozco podía advertir su tenue, imperceptible palidez. Al final de la calle, el mercader lanzó por último la turbadora proclama: «¡Cambio esposas viejas

Juan José Arreola
Parabel vom Tauschhandel

Mit dem Ruf «Tausche alte Ehefrauen gegen neue!» begleitete der Händler seinen Konvoi bemalter Karren durch die
Straßen des Dorfes.

Der Austausch ging immer sehr rasch vor sich – bei un-
erbittlich festen Preisen. Die Bewerber erhielten Qualitäts-
belege und Garantiescheine, aber auswählen durfte niemand.
Die Frauen waren alle, der Auskunft des Händlers zufolge,
vierundzwanzigkarätig. Alle waren blond und alle aus dem
europäischen Russland. Mehr als blond, vergoldet wie Ker-
zenleuchter.

Wenn die Männer die Erwerbung eines Nachbarn sahen,
rannten sie außer sich dem Händler nach. Viele ruinierten
sich. Nur ein Neuvermählter konnte eins zu eins tauschen.
Seine Gattin war taufrisch und stand den Ausländerinnen
in nichts nach. Aber sie war nicht so blond wie jene.

Ich stand zitternd hinter den Fensterscheiben, als ein
prunkvoller Wagen vorbeifuhr. In den Polstern, zwischen
den Vorhängen, lehnte eine Frau wie ein Leopard, und ihr
Blick blendete mich wie ein Klumpen Topas. Der ansteckende-
de Taumel riss mich mit, und ich hätte mir an den Schei-
ben beinahe den Kopf eingeschlagen. Beschämt wandte ich
mich vom Fenster ab und drehte den Kopf, um Sofía anzuschauen.

Sie saß ganz ruhig da und stickte die gewohnten Initialen
auf ein Tischtuch. Unberührt vom Aufruhr fädelte sie die
Nadel mit sicheren Fingern ein. Nur ich, der ich sie kenne,
konnte eine kaum wahrnehmbare Blässe bemerken. Am
Ende der Straße schleuderte der Händler zum letzten Mal
das aufwühlende Angebot hinaus: «Tausche alte Ehefrauen

por nuevas!» Pero yo me quedé con los pies clavados en el suelo, cerrando los oídos a la oportunidad definitiva. Afuera, el pueblo respiraba una atmósfera de escándalo.

Sofía y yo cenamos sin decir una palabra, incapaces de cualquier comentario.

— ¿Por qué no me cambiaste por otra? — me dijo al fin, llevándose los platos.

No pude contestarle, y los dos caímos más hondo en el vacío. Nos acostamos temprano, pero no podíamos dormir. Separados y silenciosos, esa noche hicimos un papel de convidados de piedra.

Desde entonces vivimos en una pequeña isla desierta, rodeados por la felicidad tempestuosa. El pueblo parecía un gallinero infestado de pavos reales. Indolentes y voluptuosas, las mujeres pasaban todo el día echadas en la cama. Surgían al atardecer, resplandecientes a los rayos del sol, como sedosas banderas amarillas.

Ni un momento se separaban de ellas los maridos complacientes y sumisos. Obstinados en la miel, descuidaban su trabajo sin pensar en el día de mañana.

Yo pasé por tonto a los ojos del vecindario, y perdí los pocos amigos que tenía. Todos pensaron que quise darles una lección, poniendo el ejemplo absurdo de la fidelidad. Me señalaban con el dedo, riéndose, lanzándome pullas desde sus opulentas trincheras. Me pusieron sobrenombres obscenos, y yo acabé por sentirme como una especie de eunuco en aquel edén placentero.

Por su parte, Sofía se volvió cada vez más silenciosa y retraída. Se negaba a salir a la calle conmigo, para evitarme contrastes y comparaciones. Y lo que es peor, cumplía de mala gana con sus más estrictos

gegen neue!» Aber ich stand bei dieser endgültig letzten Gelegenheit wie angenagelt da und hielt mir die Ohren zu. Skandalgeschwängert lastete draußen die Atemluft.

Wortlos saßen Sofía und ich beim Abendessen, unfähig zu irgendeiner Bemerkung.

«Warum hast du mich nicht gegen eine andere eingetauscht?» sagte sie schließlich, während sie das Geschirr abräumte.

Ich konnte ihr nicht antworten, und wir fielen beide noch tiefer in die Leere. Wir gingen früh zu Bett, konnten aber nicht schlafen. Getrennt und schweigsam spielten wir in dieser Nacht die Rolle steinerer Gäste.

Seitdem lebten wir auf einem einsamen Inselchen, umgeben von stürmischer Glückseligkeit. Das Dorf wirkte, als wäre ein Schwarm Pfauen in einen Hühnerhof eingefallen. Den ganzen Tag lagen die Frauen teilnahmslos und wollüstig im Bett. Gegen Abend standen sie auf und leuchteten in den Sonnenstrahlen wie goldgelbe Seidenbänder.

Nicht einen Augenblick wichen ihre diensteifrig ergebenen Ehemänner von ihrer Seite. Versessen auf den Honig vernachlässigten sie ihre Arbeit und dachten nicht an den kommenden Tag.

Ich galt in den Augen meiner Nachbarn als Trottel und verlor die wenigen Freunde, die ich gehabt hatte. Alle dachten, ich wolle ihnen eine Lektion erteilen und vor ihnen als schrulliges Beispiel der Treue dastehen. Sie zeigten mit den Fingern auf mich, lachten mich aus, bewarfen mich mit unflätigen Zoten aus ihren üppigen Schützengräben. Ich bekam obszöne Übernamen und fühlte mich schließlich wie ein Eunuch im Garten der Lüste.

Sofía ihrerseits wurde immer schweigsamer und kapselte sich ab. Sie weigerte sich, mit mir auf die Straße zu gehen, um mir Vergleiche und Unterschiede zu ersparen. Schlimmer war, dass sie auch die allernötigsten ehelichen Pflichten nur

deberes de casada. A decir la verdad, los dos nos sentíamos apenados de unos amores tan modestamente conyugales.

Su aire de culpabilidad era lo que más me ofendía. Se sintió responsable de que yo no tuviera una mujer como las otras. Se puso a pensar desde el primer momento que su humilde semblante de todos los días era incapaz de apartar la imagen de la tentación que yo llevaba en la cabeza. Ante la hermosura invasora, se batió en retirada hasta los últimos rincones del mudo resentimiento. Yo agoté en vano nuestras pequeñas economías, comprándole adornos, perfumes, alhajas y vestidos.

– ¡No me tengas lástima!

Y volvía la espalda a todos los regalos. Si me esforzaba en mimarla, venía su respuesta entre lágrimas:

– ¡Nunca te perdonaré que no me has cambiado!

Y me echaba la culpa de todo. Yo perdía la paciencia. Y recordando a la que parecía un leopardo, deseaba de todo corazón que volviera a pasar el mercader.

Pero un día las rubias comenzaron a oxidarse. La pequeña isla en que vivíamos recobró su calidad de oasis, rodeada por el desierto. Un desierto hostil, lleno de salvajes alaridos de descontento. Deslumbrados a primera vista, los hombres no pusieron realmente atención en las mujeres. Ni les echaron una buena mirada, ni se les ocurrió ensayar su metal. Lejos de ser nuevas, eran de segunda, de tercera, de sabe Dios cuántas manos ... El mercader les hizo sencillamente algunas reparaciones indispensables, y les dio un baño de oro tan bajo y tan delgado, que no resistió la prueba de las primeras lluvias.

noch ungern und widerwillig erfüllte. Um die Wahrheit zu sagen, wir beide waren traurig über unsere so unscheinbare eheliche Liebe.

Am allermeisten beleidigte mich ihr schuldbewusstes Gehabe. Sie fühlte sich dafür verantwortlich, dass ich nicht eine Gattin wie alle anderen hatte. Vom ersten Augenblick an machte sie sich Gedanken, dass ihr unauffälliges alltägliches Aussehen nicht dazu angetan war, das Bild der Versuchung zu beseitigen, das ich ja in meinem Kopf trug. Angesichts des Überfalls von Schönheit blies sie zum Rückzug und verkroch sich in die hintersten Winkel stummer Betrübnis. Vergebens zehrte ich unsere geringen Ersparnisse auf, um ihr Flitter, Parfüm, Schmuck und Kleider zu kaufen.

«Du brauchst kein Mitleid mit mir zu haben!»

Sie drehte allen Geschenken den Rücken. Wenn ich mich bemühte, sie zu verwöhnen, kam ihre Antwort unter Tränen:

«Ich werde dir nie verzeihen, dass du mich nicht ausgetauscht hast!»

Sie schob mir die Schuld an allem zu. Ich verlor die Geduld. Ich musste an die Frau denken, die wie ein Leopard aussah, und wünschte mir von ganzem Herzen, der Händler möchte doch nochmals vorbei kommen.

Eines schönen Tages aber fingen die Blondinen an rostig zu werden. Das Inselchen, auf dem wir lebten, wurde wieder zur Oase inmitten einer Wüste. Einer bedrohlichen Wüste voller Wehgeschrei aus Unzufriedenheit. Da die Männer beim ersten Anblick schon geblendet waren, schenkten sie ihren Frauen eigentlich gar keine Beachtung. Sie schauten sie nicht genau an, und es fiel ihnen nicht ein, das Metall zu prüfen. Weit entfernt davon, neu zu sein, waren sie aus zweiter, dritter, oder Gott weiß wievielter Hand … Der Händler hatte nur ein paar unumgängliche Ausbesserungen vorgenommen und sie in ein so dünnes und schwaches Vergoldungsbad gesteckt, dass es nicht einmal den ersten Regengüssen standhielt.

El primer hombre que notó algo extraño se hizo el desentendido, y el segundo también. Pero el tercero, que era farmacéutico, advirtió un día entre el aroma de su mujer la característica emanación del sulfato de cobre. Procediendo con alarma a un examen minucioso, halló manchas oscuras en la superficie de la señora y puso el grito en el cielo.

Muy pronto aquellos lunares salieron a la cara de todas, como si entre las mujeres brotara una epidemia de herrumbre. Los maridos se ocultaron unos a otros las fallas de sus esposas, atormentándose en secreto con terribles sospechas acerca de su procedencia. Poco a poco salió a relucir la verdad, y cada quien supo que había recibido una mujer falsificada.

El recién casado que se dejó llevar por la corriente del entusiasmo que despertaron los cambios, cayó en un profundo abatimiento. Obsesionado por el recuerdo de un cuerpo de blancura inequívoca, pronto dio muestras de extravío. Un día se puso a remover con ácidos corrosivos los restos de oro que había en el cuerpo de su esposa, y la dejó hecha una lástima, una verdadera momia.

Sofía y yo nos encontramos a merced de la envidia y del odio. Ante esa actitud general, creí conveniente tomar algunas precauciones. Pero a Sofía le costaba trabajo disimular su júbilo, y dio en salir a la calle con sus mejores atavíos, haciendo gala entre tanta desolación. Lejos de atribuir algún mérito a mi conducta, Sofía pensaba naturalmente que yo me había quedado con ella por cobarde, pero que no me faltaron las ganas de cambiarla.

Hoy salió del pueblo la expedición de los maridos engañados, que van en busca del mercader. Ha sido verdaderamente un triste espectáculo. Los hombres

Der erste Mann, dem etwas Seltsames auffiel, tat nicht dergleichen, und der zweite auch nicht. Aber der dritte, ein Apotheker, stellte eines Tages fest, dass seine Frau unverkennbar nach Kupfervitriol roch. Als er sie auf dieses Alarmzeichen hin genauer ansah, entdeckte er auf ihrer Haut braune Flecken und schrie Zetermordio.

Bald zeigten sich bei allen Frauen solche Flecken im Gesicht, als wäre eine Rostseuche unter ihnen ausgebrochen. Die Männer verschwiegen einander gegenseitig die Mängel ihrer Frauen und quälten sich im geheimen mit schrecklichen Verdächtigungen über deren Herkunft. Nach und nach kam die Wahrheit an den Tag, und jeder wusste, dass er eine gefälschte Frau erhalten hatte.

Der Neuvermählte, der sich vom allgemeinen Begeisterungssturm hatte hinreißen lassen, den der Tausch ausgelöst hatte, fiel in tiefe Niedergeschlagenheit. Im Banne noch der Erinnerung an einen eindeutig weißen Körper, ließ er alsbald Zeichen von Verwirrung erkennen. Eines Tages ging er daran, mit scharfen Säuren die Goldreste am Körper seiner Frau abzureiben, und da sah sie bejammernswert aus, wie eine wahre Mumie.

Sofía und ich waren nun dem Neid und dem Hass ausgeliefert. Angesichts dieses allgemeinen Verhaltens schien es mir ratsam, einige Vorsichtsmaßnahmen zu ergreifen. Aber Sofía kostete es einige Mühe, ihren Jubel zu verbergen, und es kam sie die Lust an, sich in ihrem schönsten Putz auf der Straße zu zeigen und inmitten all der Trostlosigkeit hervorzuleuchten. Weit davon entfernt, meinem Verhalten irgendwelchen Edelmut beizumessen, dachte Sofía natürlich, dass ich sie nur aus Feigheit behalten und es mir keineswegs an Lust gefehlt hatte, sie auszutauschen.

Heute verließ die Schar betrogener Ehemänner das Dorf, um sich auf die Suche nach dem Händler zu machen. Es war ein richtig trauriges Schauspiel. Die Männer hoben die

levantaban al cielo los puños, jurando venganza. Las mujeres iban de luto, lacias y desgreñadas, como plañideras leprosas. El único que se quedó es el famoso recién casado, por cuya razón se teme. Dando pruebas de un apego maniático, dice que ahora será fiel hasta que la muerte lo separe de la mujer ennegrecida, ésa que él mismo acabó de estropear a base de ácido sulfúrico.

Yo no sé la vida que me aguarda al lado de una Sofía quién sabe si necia o si prudente. Por lo pronto, le van a faltar admiradores. Ahora estamos en una isla verdadera, rodeada de soledad por todas partes. Antes de irse, los maridos declararon que buscarán hasta el infierno los rastros del estafador. Y realmente, todos ponían al decirlo una cara de condenados.

Sofía no es tan morena como parece. A la luz de la lámpara, su rostro dormido se va llenando de reflejos. Como si del sueño le salieran leves, dorados pensamientos de orgullo.

Fäuste zum Himmel und schworen Rache. Die Frauen waren in Trauer gekleidet, die Haarsträhnen hingen schlaff herab, sie sahen aus wie aussätzige Klageweiber. Einzig der berühmte Neuvermählte ging nicht mit, und man fürchtet für seinen Geisteszustand. In einer Art besessenen Hingabe sagt er nun, er wolle treu bleiben, bis ihn der Tod von seiner unansehnlich schwarz gewordenen Frau trenne, die er selber mit Schwefelsäure so zugerichtet hatte.

Ich weiß nicht, was für ein Leben mich an Sofías Seite erwartet, wer weiß, ob sie dumm oder klug ist. Vorläufig einmal werden ihr die Bewunderer fehlen. Wir befinden uns nun wirklich auf einer Insel, rundum ist nichts als Einsamkeit. Vor ihrem Weggehen erklärten die Männer, dass sie dem Betrüger bis in die Hölle nachspüren wollten. In der Tat, als sie das sagten, sahen sie alle aus wie Verdammte.

Sofía ist gar nicht so dunkel, wie es den Anschein hat. Das Licht der Lampe wirft helle Schimmer auf das Antlitz der Schlafenden. Als ob der Traum duftige stolze Goldgedanken hervorzaubere.

Juan Rulfo
La vida no es muy seria en sus cosas

Aquella cuna donde Crispín dormía por entonces, era más que grande para su pequeño cuerpecito. Él sin conocer todavía la luz, puesto que aún no nacía, se dedicaba sólo a vivir en medio de aquella oscuridad y a hacer, sin saberlo, más y más lentos cada vez los pasos que daba su madre al caminar por los corredores, por el pasillo y, a veces, en alguna mañana limpia, yendo a visitar el corral, donde ella se confortaba haciendo renegar a las gallinas robándoles los pollitos, y escondiéndose dos o tres abajito del seno, quizá con la esperanza de que a su hijo se le hiciera la vida menos pesada oyendo algo de los ruidos del mundo.

Por otra parte, Crispín, a pesar de tener ocho meses ahí dentro, no había abierto ni por una sola vez los ojos. Hasta se adivinaba que, acurrucado siempre, no había intentado estirar un brazo o alguna de sus piernitas. No, por ese lado no daba señales de vida. Y de no haber sido porque su corazón tocaba con unos golpecitos suaves la pared que lo separaba de los ojos de su madre, ella se hubiera creído engañado por Dios, y no faltaría, ni así tantito, para que llegara a reclamarle aunque sólo fuera en secreto.

– El Señor me perdone – se decía –; pero yo tendría que hacerlo, si él no estuviera vivo.

Con todo, él estaba bien vivo. Cierto es que se sentía un poco molesto de estar enrollado como un caracol, pero, sin embargo, se vivía a gusto ahí, durmiendo sin parar y sobre todo, lleno de confianza; con la

Juan Rulfo
Das Leben nimmt seine Angelegenheiten
nicht sehr ernst

Die Wiege, in der Crispín damals schlief, war viel zu groß
für seinen winzigen Leib. Ohne das Licht zu kennen, denn
er war noch nicht geboren, lebte er einfach in jener Dunkelheit und machte, ohne es zu wissen, die allmählich langsamer
werdenden Schritte seiner Mutter mit, wenn sie durch die
Bogengänge draußen und durch den Hausflur ging, manchmal an einem schönen Morgen den Hühnern im Hof einen
Besuch abstattete und sich einen Spaß daraus machte, sie zu
ärgern, indem sie ihnen Kücken stahl und zwei oder drei unter ihrem Busen versteckte – vielleicht hoffte sie, dass für ihr
Kind das Leben weniger schwer sein würde, wenn es etwas
von den Geräuschen der Welt zu hören bekam.

Andererseits hatte Crispín noch kein einziges Mal seine
Äuglein geöffnet, obwohl er nun schon acht Monate da drinnen verbrachte. Es war sogar anzunehmen, dass er in seiner
Kauerstellung noch nie versucht hatte, einen Arm oder eines
seiner Beinchen zu strecken. Nein, es gab kein Lebenszeichen
dieser Art von ihm. Wenn nicht sein Herzchen immer wieder einmal gegen die Wand gepocht hätte, die ihn von den
Augen seiner Mutter trennte, hätte sie sich von Gott betrogen gefühlt, und nur ganz wenig fehlte, und sie hätte sich
sogar bei ihm beschwert, wenn auch nur im geheimen.

«Der Herr verzeihe mir», sagte sie zu sich, «aber ich müsste es tun, wenn das Kind nicht am Leben wäre.»

Nun, trotz allem, das Kind war lebendig und stark. Ein
bisschen unbequem fühlte es sich zwar schon, weil es zusam-
mengerollt wie eine Schnecke da drinnen sein musste, immerhin bedeutete es eine Wohltat, ununterbrochen schlafen zu
dürfen, und dazu noch in vollem Vertrauen, denn Vertrauen

confianza que da el mecerse dentro de esa grande y segura cuna que era su madre.

La madre consideró la existencia de Crispín como un consuelo para ella. Todavía no descansaba de sus lágrimas; todavía había largos ratos en los cuales apretábase al recuerdo del Crispín que se le había muerto. Todavía, y esto era lo peor para ella, no se atrevía a cantar una canción que sabía para dormir a los niños. Con todo, en ocasiones, ella le cantaba en voz baja, como para sí misma; pero en seguida, se veía rodeada por unas ganas locas de llorar, y lloraba, como sólo la ausencia de «aquel» podía merecerlo.

Luego se acariciaba su vientre y le pedía perdón a su hijo.

En otras, se olvidaba por completo de que su hijo existía. Cualquier cosa venía a poner frente a ella la figura de Crispín el mayor. Entonces entrecerraba los ojos, soltaba el pensamiento y, de ese modo, se le iban las horas correteando tras de sus buenos recuerdos. Y era en aquellos momentos sin conciencia, cuando Crispín golpeaba con más fuerza en el vientre de ella y la despertaba. Luego a ella se le ocurría que los latidos del corazón de su hijo no eran latidos, sino más bien, era una llamada que él le hacía como regañándola por dejarlo solo e irse tan lejos. Y se ponía en seguida a conseguir un montón de reproches que se daba a sí misma, no parando de hacerlo hasta sentirse tranquila y sin miedo.

Porque eso sí, tenía un miedo muy grande de que algo le sucediera a su hijo, mientras ella se la pasaba sueñe y sueñe con el otro. Y no le cabía en la cabeza sino desesperarse al no poder saber nada. «Acaso sufra», se decía. «Acaso se esté ahogando ahí dentro,

schenkte das Schaukeln in der großen und sicheren Wiege, die seine Mutter war.

Die Mutter betrachtete Crispíns Dasein als Trost für sich selbst. Sie hatte sich noch nicht von ihren Tränen erholt; immer noch gab es lange Stunden, wo sie sich an die Erinnerung an den Crispín klammerte, der ihr gestorben war. Immer noch wagte sie es nicht, und das war das Schlimmste für sie, ein Liedchen zu singen, das sie kannte und mit dem Kinder in der Schlaf gewiegt wurden. Trotzdem sang sie hie und da ganz leise für ihn, wie für sich selber; aber sofort überkam sie ein heftiges Verlangen zu weinen, und dann weinte sie so ausgiebig, wie es nur die Abwesenheit jenes anderen verdienen konnte.

Dann streichelte sie ihren Bauch und bat ihr Kind um Vergebung.

Hie und da vergaß sie auch ganz und gar, dass ihr Kind Wirklichkeit war. Irgend eine Kleinigkeit genügte, ihr die Gestalt des älteren Crispín vor Augen zu führen. Dann kniff sie die Augen zu, ließ ihr Gedanken schweifen, stundenlang, und wurde fortgetragen von ihren schönen Erinnerungen. In solchen Augenblicken wurden Crispíns Stöße in ihrem Bauch kräftiger, und sie erwachte aus ihrer Versenkung. Dann glaubte sie zu spüren, die Herzschläge ihres Kindes seien gar keine Herzschläge, sondern eher eine Aufforderung an sie, eine Art Vorwurf, weil sie es allein gelassen hatte und so weit fortgegangen war. Dann raffte sie sogleich eine ganze Menge Tadel gegen sich selbst zusammen, so lange, bis sie sich wieder ruhig fühlte und keine Angst mehr empfand.

Eines allerdings: sie hatte große Angst, ihrem Kind könnte etwas zustoßen, weil sie in ihren Gedanken und Träumen dauernd mit dem anderen beschäftigt war. In ihrem Kopf hatte nichts anderes Platz als Verzweiflung, weil sie nichts sicher wusste. «Vielleicht leidet Crispín», sagte sie zu sich.

sin aire; o tal vez tenga miedo de la oscuridad. Todos los niños se asustan cuando están a oscuras. Todos. Y él también. ¿Por qué no se iba a asustar él? ¡Ah!, si estuviera acá afuera, yo sabría defenderlo; o al menos, vería si su carita se ponía pálida o si sus ojos se hacían tristes. Entonces yo sabría cómo hacer. Pero ahora no; no donde él está. Ahí no.» Eso se decía.

Crispín no vivía enterado de eso. Sólo se movía un poquito, al sentir el vacío que los suspiros de su madre producían a un lado de él. Por otra parte, hasta parecían acomodarlo mejor, de modo de seguir durmiendo, arrullado a la vez por el sonido parejo y repetido que la sangre ahí cerca hacía al subir y bajar una hora tras otra hora.

Así iba el asunto. Ella, fuera de sus ratos malos, se sentía encariñada a los días que vendrían. Y era para azorarse verla hacer los gestos de alegría que todas las madres aprenden tantito antes, para estar prevenidas. Y el modo de cuidar sus manos, alisándolas, con el fin de no lastimar mucho aquella carne casi quebradiza que pasearía hecha un nudo sobre sus brazos.

Así iba el asunto.

Sin embargo, la vida no es muy seria en sus cosas. Es de suponerse que ella ya sabía esto, pues la había visto jugar con Crispín el mayor, escondiéndose de él, hasta dar por resultado que ninguno de los dos volvieron a encontrarse. Eso había sucedido. Pero, por otra parte, ella no se imaginaba a la muerte sino de un modo tranquilo: Tal como un río que va creciendo paso a paso, y va empujando las aguas viejas y las cubre lentamente; mas sin precipitarse como lo haría un arroyo nuevo. Así se imaginaba ella a la muerte, porque más de una vez la vio acercarse. La vio también en Crispín, su esposo, y aun-

«Vielleicht erstickt er da drinnen, ohne Luft, oder vielleicht hat er Angst vor der Dunkelheit. Alle Kinder erschrecken, wenn sie im Dunkeln sind. Alle. Dieses auch. Warum sollte dieses nicht erschrecken? Ach, wenn es schon draußen wäre, könnte ich es verteidigen; mindestens sähe ich, ob sein Gesichtchen bleich oder seine Äuglein traurig werden. Dann wüsste ich, was tun. Aber jetzt nicht, nein; da, wo es jetzt ist, nicht. Da nicht.» So sprach sie zu sich.

Crispín lebte, ohne das alles zu erfahren. Er regte sich nur ein klein wenig, wenn er die durch die Seufzer seiner Mutter entstandene Leere neben sich spürte. Andererseits bettete ihn die sogar bequemer, so dass er, eingelullt durch das Geräusch des Blutstroms, der Stunde um Stunde an ihm vorbei im Körper hinauf und hinab floss, ganz ruhig weiter schlafen konnte.

So war der Stand der Dinge. Wenn sie nicht gerade schlechter Stimmung war, freute sie sich auf die kommenden Tage. Es war ergreifend, ihre frohgemuten Bewegungen zu sehen, die alle Mütter früh genug lernen, um bereit zu sein. Auch die Umsicht, mit der sie ihre Hände pflegte, damit nicht rauhe Haut das fast zerbrechliche Häufchen Fleisch verletze, das wie ein Knäuel in ihren Armen liegen würde.

So war der Stand der Dinge.

Trotz allem, das Leben nimmt seine Angelegenheiten nicht sehr ernst. Es ist anzunehmen, dass sie das schon wusste, denn es hatte sie mit dem großen Crispín Verstecken spielen sehen, so lange, bis die beiden einander nicht mehr fanden. Das war vorgekommen. Andererseits stellte sie sich den Tod als etwas ganz Ruhiges vor: wie einen Bach, der langsam anschwillt und die alten Wasser vor sich herschiebt und allmählich zudeckt; aber ohne schneller zu fließen, wie es bei einem Wildbach wäre. So stellte sie sich den Tod vor, denn mehr als einmal hatte sie gesehen, dass er in die Nähe kam. Sie sah ihn auch bei Crispín, ihrem Gatten, und obwohl sie ihn anfänglich nicht zu erkennen vermochte, merkte sie schließ-

que al principio ne le fue posible reconocerla, al fin y al cabo, cuando notó que todo en él se maltrataba, no dudó que ella era.

Así pues, ella bien se daba cuenta de lo que la vida acostumbra a hacer con uno, cuando uno está más descuidado.

Aquella mañana, ella quiso ir al camposanto. Como siempre solía preguntar a Crispín, el no nacido, si estaba de acuerdo, lo hizo: «Crispín, le dijo, ¿te parece bien que vayamos? Te prometo que no lloraré. Sólo nos sentaremos un ratito a platicar con tu padre y después volveremos; nos servirá a los dos; ¿quieres?» Luego, tratando de adivinar en qué lugar podía tener sus manitas aquel hijo suyo: «Te llevaré de la mano todo el tiempo.» Esto le dijo.

Abrió la puerta para salir; pero enseguida sintió un viento frío, agachado al suelo, como si anduviera barriendo las calles. Entonces regresó por un abrigo. ¿Pues qué pasaría si él sintiera frío? Lo buscó entre las ropas de la cama; lo buscó en el ropero; lo halló allá arriba, en un rinconcito. Pero el ropero estaba mucho más alto que ella y tuvo que subir al primer peldaño, después puso la rodilla en el segundo y alcanzó el abrigo con la puntita de los dedos. En ese momento, pensó que tal vez Crispín se habría despertado por aquel esfuerzo y bajó a toda prisa …

Bajó muy hondo. Algo la empujaba. Debajo de ella, el suelo estaba lejos, sin alcance …

lich doch, als alles bei ihm zur Qual wurde, dass er es sein musste.

Somit wusste sie ganz genau, was das Leben mit einem im Schilde führt, wenn man am allersorglosesten ist.

An jenem Morgen wollte sie auf den Friedhof gehen. Da sie immer den ungeborenen Crispín fragte, ob er einverstanden sei, so tat sie es auch jetzt: «Crispín», fragte sie, «ist es dir recht, wenn wir gehen? Ich verspreche dir, nicht zu weinen. Wir setzen uns nur ein Weilchen hin und plaudern mit deinem Vater, und dann gehen wir wieder heim; es tut uns beiden gut, meinst du nicht?» Dann versuchte sie zu erraten, wo die Händchen ihres kleinen Sohnes sein könnten: «Ich führe dich die ganze Zeit an der Hand.» Das sagte sie zu ihm.

Sie öffnete die Tür und wollte hinausgehen; aber sofort spürte sie einen kalten Wind über den Boden fegen, so als wolle er die Straße kehren. Darum ging sie noch einmal zurück, um einen Umhang zu holen. Was würde geschehen, wenn ihm kalt würde? Sie suchte bei der Bettwäsche; sie suchte bei den Kleidern; sie fand den Umhang ganz oben, in einem Winkel. Aber das Gestell war viel zu hoch für sie, und sie musste auf den untersten Absatz steigen, dann kniete sie auf den zweiten und konnte mit den Fingerspitzen nach dem Umhang greifen. In diesem Augenblick kam ihr der Gedanke, Crispín könnte von dieser Anstrengung erwacht sein und stieg eiligst wieder hinunter …

Sie fiel ganz tief hinunter. Etwas stieß sie hinab. Unter ihr war der Boden ganz weit weg, unerreichbar weit …

Augusto Monterroso
De lo circunstancial o lo efímero

Desde el primer momento, cuando lo vio entrar, supo
de qué se trataba; pero de todos modos tenía que permitir que fuera él quien lo dijera. Entonces, con un
papel en la mano, él le informó:

– Me lo gané.

– ¿Qué cosa? – respondió ella perseverando en dejar
entender que no imaginaba nada. Vocacionalmente
buena, sabía que con su actitud expectante le propor-
cionaba una alegría extra.

Por supuesto él sabia que su mujer sabía; pero estaba
seguro asimismo de que si en el matrimonio no se si-
gue este juego las cosas, de puro sabidas, terminan por
perder interés, ya que en ese estado al cabo de cierto
tiempo el uno y el otro se conocen tan esencialmente
que en el momento en que uno piensa cualquier cosa
el otro por lo general está pensando esa misma cosa,
y a veces hasta la dicen los dos simultáneamente ante
el asombro de ambos, que siempre declaran: qué curioso, en eso mismo pensaba yo; sin que ninguno sepa de
qué manera, pero en forma tal que los dos terminan por
creer y en ocasiones hasta por estar seguros de que eso
significa quererse, y uno y otro lo comentan y conver-
san del tema entusiasmados y todavía unos minutos
después, cada quien por su lado, queda como reflexio-
nando que sí, que efectivamente eso significa quererse.

– El premio del concurso. El coche.

– ¡No! – dijo ella pensando esto hay que celebrarlo,
voy a sacar hielo para el ron. Y creyéndolo más que
nunca añadió:

Augusto Monterroso
Von Belanglosem oder Beiläufigem

Augenblicklich wusste sie, als sie ihn eintreten sah, worum es sich handelte. Aber sie musste ihm auf jeden Fall ermöglichen, es ihr selber zu sagen. Dann teilte er ihr mit einem Blatt Papier in der Hand mit:

«Ich habe gewonnen.»

«Was denn?» antwortete sie, sehr darauf bedacht, ihm zu verstehen zu geben, dass sie nichts ahnte. Gütig aus Berufung wusste sie, dass ihre erwartungsvolle Haltung ihm zusätzlich Freude verschaffte.

Selbstverständlich wusste er, dass seine Frau es wusste; aber er war sich auch ganz sicher, dass es in der Ehe solcher Spiele bedarf, damit die nur allzu gut bekannten Dinge reizvoll bleiben. Denn im Ehestand kennen beide sich gegenseitig nach einer gewissen Zeit so gründlich, dass in dem Augenblick, da einer etwas denkt, der andere im allgemeinen dasselbe denkt, und manchmal sprechen sie es zum großen beiderseitigen Erstaunen gleichzeitig aus und erklären jedesmal: wie seltsam, dasselbe habe ich auch gedacht; ohne zu wissen wie, aber doch so, dass beide am Ende glauben und bisweilen sogar sicher sind, genau das bedeute, einander zu lieben, und einer wie der andere äußern ihre Meinung dazu und besprechen das Thema begeistert miteinander, und noch einige Minuten später stellt jedes für sich selbst wie nachdenklich fest, ja, genau das bedeutet, einander zu lieben.

«Den Wettbewerbspreis. Den Wagen.»

«Nein!» sagte sie und dachte, das muss gefeiert werden, ich hole Eis für den Rum heraus. Sie glaubte fester denn je daran und fügte hinzu:

– No lo puedo creer.

Contra su timidez, y más que nada contra el peligro de que su mujer sospechara que de veras se sentía escritor, él se atrevió a comentar:

– Para mí lo importante es haber escrito el cuento y haberlo enviado al concurso aunque perdiera. El coche no me interesa.

«¿Cómo?, ¿con la falta que nos hace?», pensó ella. Y se imaginó a sí misma con el cuello envuelto en una bufanda de lana manejando por la avenida Reforma y diciendo adiós a sus conocidos con un despreocupado movimiento de la mano izquierda mientras con el rabo del ojo derecho vigilaba que todo fuera bien con la marcha. Pero nada más por seguir el mecanismo de la conversación propuso sin énfasis:

– Pues si no lo quieres lo vendemos.

– Bien sabes que no se trata de eso – dijo él –. Claro que lo quiero. Pero, ¿no te alegras? Fíjate, escribo el cuento casi sin ganas, únicamente por ver qué salía, como jugando, y me gano el premio. ¿A mí qué me importa el coche? Ahora me gustaría más poder escribir, bueno, leer, escribir.

– Entonces déjamelo a mí – dijo ella. Y consideró en serio esa posibilidad, aunque en el mismo momento empezó a recordar que cuando se hallaba en la ventana de un edificio alto y miraba a la calle le daba miedo pensar lo que sentiría allá abajo el día que tuviera que manejar entre tantos coches que desde arriba se veían como moviéndose solos, como juguetes o como quién sabía qué.

– Te repito – dijo él recibiendo cuidadosamente de manos de ella otra copa de ron con agua y hielo – que para mí el coche es lo de menos. Lo bueno es que ahora sí voy a escribir.

«Ich kann es nicht glauben.»

Entgegen seiner Schüchternheit, mehr noch um der Gefahr zu entgehen, dass seine Frau argwöhnen könnte, er fühle sich tatsächlich als Schriftsteller, wagte er hinzuzufügen:

«Für mich ist wichtig, diese Geschichte geschrieben und für den Wettbewerb eingereicht zu haben, auch wenn ich verloren hätte. Der Wagen reizt mich nicht.»

«Was? Wo wir ihn doch so gut gebrauchen können!» dachte sie und stellte sich bereits vor, mit einem dicken Wollschal um den Hals am Steuer zu sitzen und durch die Avenida Reforma zu fahren, mit der linken Hand nachlässig ihren Bekannten zuzuwinken und aus dem rechten Augenwinkel gleichzeitig zu prüfen, ob mit dem Gang alles in Ordnung sei. Aber nur um den eingespielten Ablauf des Gesprächs beizubehalten, schlug sie in aller Ruhe vor:

«Wenn du ihn nicht willst, verkaufen wir ihn eben.»

«Du weißt genau, dass es nicht darum geht», sagte er, «natürlich will ich ihn. Aber freust du dich denn nicht? Schau, ich schreibe fast lustlos die Geschichte, nur um zu sehen, was herauskommt, wie zum Spiel, und gewinne den Preis. Was soll mir denn der Wagen bedeuten? Jetzt möchte ich erst recht weiter schreiben können, nun: lesen und schreiben.»

«Dann gib ihn einfach mir!» sagte sie. Sie zog diese Möglichkeit ernsthaft in Betracht, erinnerte sich jedoch im gleichen Augenblick daran, dass sie einmal von einem hohen Gebäude aus auf die Straße hinuntergeschaut und Angst bekommen hatte beim Gedanken, was sie dort unten empfinden würde, wenn sie ihren Wagen durch das Gewimmel lenken müsste, das sich wie Spielzeug oder wer weiß was sonst wie von selber bewegte.

«Ich wiederhole», sagte er und nahm vorsichtig noch ein Glas Rum mit Wasser und Eis aus ihrer Hand entgegen, «für mich ist der Wagen Nebensache. Das Schönste ist, dass ich nun tatsächlich schreiben will.»

– Claro que sí – dijo ella.

– No quiero seguir toda la vida corrigiendo pruebas. Ni tú ni yo manejamos – agregó, como si de pronto descubriera este hecho y viendo fijamente sus zapatos nuevos.

– Muy bien, muy bien, ni tú ni yo manejamos, ¿vamos a contratar un chofer? – afirmó ella dos veces y preguntó una, a sabiendas de que era tan obvio lo primero como absurdo lo segundo, y de que quizá la respuesta de su marido sería: «¿No se te ha ocurrido que podemos aprender?», en tanto que él, mientras añadía un poco de ron a su copa porfiaba entusiasmado en que qué bueno que se había decidido y que ahora sí iba a escribir aunque no comieran y aunque a ella no le gustara.

Pero ella, añadiendo otro tanto a su copa, declaró:

– ¿Cuándo me he opuesto yo? Tú a lo tuyo, que es lo único que te importa. Yo voy a aprender y ya. Bueno, quién sabe si tú puedas con tus nervios.

– ¿Qué pasa con mis nervios?

– Basta verte en este momento.

– En este momento es otra cosa. Bueno, bien, estoy nervioso; pero a mí me alegra el premio por lo que di, no por lo que me hayan dado. No creo que esto lo entiendas – persistió él preguntándole si deseaba más ron y sirviéndose más a sí mismo.

Para ordenar la discusión ella dijo que él bien sabía que a ella también le alegraba por eso; pero que lo que ella decía era que aprendía él o aprendía ella o aprendían los dos.

– Muy bien, aprende tú. De ahora en adelante

«Natürlich», sagte sie.

«Ich will nicht mein ganzes Leben lang nur Probedrucke korrigieren. Wir können beide nicht autofahren», fügte er hinzu, als habe er diese Tatsache ganz plötzlich entdeckt, und schaute angestrengt seine neuen Schuhe an.

«Gut, sehr gut, du und ich, wir können beide nicht autofahren – sollen wir also einen Fahrer einstellen?» bestätigte sie zweimal und fragte sie einmal, wohl wissend, dass ersteres so klar wie letzteres abwegig war und dass die Antwort ihres Gatten lauten könnte: Bist du nicht auf den Gedanken gekommen, dass wir es lernen könnten? während er ein wenig Rum in sein Glas nachgoss und begeistert beim Gedanken verharrte, wie gut er daran getan hatte, sich entschlossen zu haben; jetzt allerdings wollte er schreiben, auch wenn sie nichts zu essen hätten und es ihr missfiel.

Sie schenkte auch noch etwas in ihr Glas zu, erklärte aber:

«Wann habe ich je Einwände gemacht? Du und deine Angelegenheiten, das ist das einzige, worauf es dir ankommt. Dann lerne eben ich fahren, und fertig. Überhaupt, wer weiß, ob du es mit deinen Nerven könntest.»

«Was ist mit meinen Nerven?»

«Es genügt, dich jetzt in diesem Augenblick zu sehen.»

«In diesem Augenblick ist das etwas anderes. Nun, ja, ich bin nervös. Aber mich freut eben der Preis, weil ich etwas dafür gegeben, nicht weil ich etwas bekommen habe. Das verstehst du wahrscheinlich nicht», bekräftigte er hartnäckig, fragte sie dann, ob sie noch mehr Rum wolle und schenkte sich selbst ein.

Um die Auseinandersetzung wieder in die Bahn zu bringen, sagte sie, er wisse ja genau, dass sie sich auch deswegen freue, aber sie sage ja nur, entweder müsse er autofahren lernen oder sie oder alle beide.

«Sehr gut, so lerne du es. Von jetzt an kümmerst du dich

tú te dedicas a lo tuyo y yo a lo mío. Si quieres,
después cambiamos.

— ¿Por qué tienes que ser sarcástico conmigo? —
dijo ella súbitamente ofendida en serio y añadiendo
que él no era más que un acomplejado como toda
su familia, que le daba miedo progresar.

— No soy sarcástico contigo — respondió él —; en
serio: si lo deseas cambiamos, de ahora en adelante
tú escribes y yo cocino.

— ¿Ves? Lo que quieres es que yo no use el coche.
Bien sabes que nunca vas a escribir porque te mueres
de temor o de vanidad, o de miedo al fracaso, o al
éxito o a saber a qué diablos — fue destilando ella
con lentitud y firmeza, animada a la crueldad por
un resentimiento desconocido y por el alcohol y con
la intención de herir de veras a fondo.

— ¿Empezamos otra vez? — interrogó él, seguro
de que así era, de que una vez más empezaban.

— Sí; y otras mil veces, porque eres un egoísta.

Desde que llegó, él no había hecho otra cosa que
hablar y hablar de escribir sin importarle un comino si ella iba a manejar el coche o no. Y volviendo
a la realidad, ¿no se le había ocurrido a él una cosa?
¿En dónde iban a meter el coche? Estaba contenta
de haber encontrado esa nueva dificultad y de que
a ella sí se le hubiera ocurrido; pero guardó esto
como reserva.

— ¿Cuándo lo entregan? — añadió más bien.

Empezaba a sentirse cansada, como si de pronto
sospechara que tanto ella como él no eran más que
personajes de algo escrito por alguien no sabía
cuándo, ni movido por qué motivos, ni interesado
en satisfacer qué necesidades internas, ni atraído
por qué premios.

um deine Sachen und ich um meine. Wenn du willst, können wir später wechseln.»

«Warum musst du so hämisch mit mir umgehen?» sagte sie plötzlich ernstlich beleidigt und fügte noch hinzu, dass er ja nur aus Minderwertigkeitsgefühlen bestehe, wie seine ganze Familie, und Angst vor dem Vorankommen habe.

«Ich bin überhaupt nicht hämisch zu dir», antwortete er, «ich meine es ganz im Ernst: wenn du willst, tauschen wir, von jetzt an schreibst du, und ich koche.»

«Siehst du, du willst nur, dass ich den Wagen nicht benützen kann. Du weißt ganz genau, dass du nie schreiben wirst, du stirbst ja vor Angst oder Eitelkeit oder fürchtest das Versagen oder den Erfolg oder weiß der Teufel was», gab sie langsam und selbstsicher tropfenweise von sich; ein unbekanntes Rachegefühl und der Alkohol trieben sie zur Grausamkeit, schürten ihre Absicht, ernst und tief zu verletzen.

«Sollen wir nochmals anfangen?» fragte er voller Gewissheit, dass dem so war, dass sie tatsächlich nochmals anfingen.

«Ja, und noch tausendmal, denn du bist ein Egoist.»

Seit er heimgekommen war, hatte er nichts anderes getan als zu reden, vom Schreiben zu reden, und es kümmerte ihn einen Pfifferling, ob sie autofahren lerne oder nicht. Um wieder zu den Tatsachen zu kommen: war ihm denn nicht sonst noch etwas eingefallen? Wohin sollten sie ihren Wagen überhaupt stellen? Sie war froh, diese neue Schwierigkeit gefunden zu haben, die natürlich ihr in den Sinn gekommen war; aber sie behielt sie vorläufig noch auf Lager.

«Wann wird er geliefert?» fragte sie statt dessen.

Sie fühlte sich allmählich müde, als komme ihr auf einmal der Verdacht, dass sie genau wie er nichts anderes als Figuren in etwas von jemandem Geschriebenem seien und nicht wüssten, wann oder aus welchem Grund oder zu welchem Zweck es verfasst sei, zur Befriedigung welcher innerer Bedürfnisse oder von welchen Preisen verlockt.

– Entre el quince y el veinte.

Mientras lo decía él también comenzó a sentir el probable cansancio que experimentarían los lectores de su cuento, como si careciera de existencia propia y como si lo que pensaba estuviera en realidad siendo pensado por otro. Sacudió la cabeza antes de añadir:

– Deberías recibir clases desde ahora. Bien, no discutamos más. Lo bueno fue que no hicieron trampa.

– ¿Y si la hicieron? – dijo ella. Después de cinco años de matrimonio con un escritor o lo que fuera estaba bien entrenada en el género de conversación en que lo que uno piensa en serio lo dice como si fuera broma y viceversa –. Entre ustedes todos se conocen.

A pesar de que él estaba seguro de que se trataba de un chiste, las palabras de su mujer no dejaron de inquietarlo. Recordó entonces las bromas de sus amigos cuando comentaban en la oficina la posibilidad de participar en el concurso: «¿No irá a haber trampa?», decía astutamente uno. «Si no la hacen yo no entro», decía con una sonrisa de inteligencia otro; y todos se reían apoyando sus respectivos rasgos de ingenio, en tanto que se recordaban mutuamente cómo se hacían esas cosas. Todo dependía: unas veces ganaba uno por amistad, otras perdía otro por enemistad, y al revés, y así hasta el infinito, todo ilustrado con nombres de anteriores premiados que no dejaban lugar a la menor duda y que constituían el mejor remate de sus argumentos. Y luego venían los comentarios sobre la dificultad de las bases del concurso, tan vagas, y aparte lo vagas, tan chistosas: «El tema deberá referirse a cualquier situación o desarrollo de hechos entre personas o instituciones y que puedan ocurrir cuando se sobrepase la satisfacción de necesi-

«Zwischen dem fünfzehnten und dem zwanzigsten.»

Während er es sagte, fühlte er die mögliche Ermüdung, die auch seine Leser empfinden könnten, als ob der Geschichte das Eigenleben abgehe, als ob, was er dachte, eigentlich von jemand anderem gedacht würde. Er schüttelte den Kopf, bevor er ergänzte:

«Du solltest jetzt schon Fahrstunden nehmen. Also gut, reden wir nicht weiter davon. Erfreulich ist, dass nicht gemogelt wurde.»

«Und wenn doch gemogelt wurde?» sagte sie. Nach fünf Jahren Ehe mit einem Schriftsteller, oder was immer er auch war, hatte sie einige Übung in der Art der Gesprächsführung, wo ernst Gemeintes wie ein Scherz gesagt wird und umgekehrt: «Ihr kennt euch ja schließlich alle untereinander.»

Obwohl er sicher war, es handele sich um einen Scherz, beunruhigten ihn die Worte seiner Frau doch. Er erinnerte sich dabei an die Witzeleien seiner Freunde, wenn sie im Büro die Möglichkeit erwogen, am Wettbewerb teilzunehmen: «Wird denn da nicht gemogelt?» fragte einer listig. «Wenn nicht gemogelt wird, mache ich nicht mit», meinte ein anderer mit verschmitztem Lächeln; alle lachten und bekräftigten gegenseitig ihre Geistesblitze, während sie einander in Erinnerung riefen, wie solche Dinge im allgemeinen gehandhabt wurden. Es kam eben darauf an: einmal gewann einer aus Freundschaft, ein andermal verlor einer aus Feindschaft und umgekehrt und so weiter bis ins Unendliche; alles belegten sie mit Namen früherer Preisträger, die nicht die geringsten Zweifel aufkommen ließen und ihre Aussagen schlüssig untermauerten. Dann folgten die Bemerkungen zu dem Wettbewerbsbedingungen und deren Schwierigkeiten, denn diese waren ganz unbestimmt, und abgesehen davon auch schrecklich verschroben: «Das Thema soll sich auf irgendeine Gegebenheit oder einen Ablauf von Ereignissen zwischen Einzelpersonen oder Institutionen beziehen, die erst eintreten, wenn die Grund-

dades, llegándose al exceso, al derroche, al despilfa-
rro; cuando los recursos disponibles, más si son limi-
tados o modestos, se destinen a lo superfluo: cuando,
en suma, una persona o muchas o aun un país entero, desvíen recursos a compras excesivas, bajo los
estímulos de la imprevisión, de la imitación, de la
vanidad, de la apariencia, de lo circunstancial o lo
efímero, en lugar de ponerlos al servicio de la pro-
ducción de bienes.» Ése era el «tema» del concurso.
Bonito tema, ¿no era cierto?

Pero dejándose de cosas y de coches, ahora lo importante era que había ganado; sobre todo, que había escrito algo y que lo había enviado sin temor
al fracaso y que había ganado. ¿No era esto en el
fondo lo que pretendía el concurso? Viéndolo bien,
¿qué era lo que se trataba de desarrollar con él?
¿La industria del país en general, la automotriz en
particular o la simple literatura? Sabía que muchos
tratarían de seguir aquellos lineamientos en su
forma más burda y de halagar a la fábrica de auto-
móviles o a la industria nacional como un todo con
tal de ganar, olvidando la finalidad de su arte. Pero
con este último argumento, ¿no estaba él mismo,
como podía pensarse que hacía el protagonista del
cuento que envió y que nunca creyó que ganara,
tratando de influir en el ánimo de los jurados, sus
amigos quizá, poniéndolos en el dilema de decidir
de qué lado estaba cada uno, si del de la industria
o del de la literatura? Y una y otra vez se repetía
a sí mismo que para él lo importante no era el premio, sino el hecho de que había participado y ganado, con una broma trillada, con la vieja tontería
de escribir el cuento del que escribe el cuento, me-
diante la cual se concretaba a consignar una vez

bedürfnisse gestillt sind, sich aber dann bis zum Übermaß, zur Verschwendung und Verschleuderung steigern können; wenn die verfügbaren Mittel, vor allem die begrenzten oder die spärlichen, für Überflüssiges eingesetzt werden; kurz, wenn eine oder mehrere Personen oder sogar ein ganzes Land Mittel für übermäßige Einkäufe abzweigen, sei es aus Leichtsinn, Nachäfferei oder Eitelkeit, aus Lust auf Äußerliches, Belangloses oder Nebensächliches, anstatt sie in den Dienst der Herstellung von Gütern zu setzen.» Das war das Wettbewerbsthema. Ein schönes Thema, nicht wahr?

Abgesehen nun aber von Sachen und Wagen, wichtig war jetzt, dass er gewonnen hatte; vor allem, dass er etwas geschrieben und ohne Furcht vor dem Scheitern eingereicht und gewonnen hatte. War nicht im Grunde genommen das der Zweck des Wettbewerbs? Genau besehen, was sollte da eigentlich behandelt werden? Die Industrie des Landes im allgemeinen, die Autoindustrie im besonderen oder schlicht die Literatur? Er wusste, dass viele ganz plump die Autoindustrie oder die nationale Industrie als ganzes linientreu loben würden, nur um zu gewinnen, aber dabei den eigentlichen Sinn ihrer Kunst außer Acht ließen. Aber betraf diese letzte Feststellung nicht ihn selbst? Denn, so könnte man denken, mache es die Hauptperson der Geschichte, die er eingereicht hatte und von der er nie geglaubt hätte, dass sie gewinnen würde angesichts der Tatsache, dass er versuchte, die Meinungen der Jury-Mitglieder zu beeinflussen – seine Freunde vielleicht – indem er sie zwang, sich zu entscheiden, wo ein jeder stand: auf Seiten der Industrie oder auf Seiten der Literatur. Ein Mal über das andere wiederholte er für sich selbst, dass für ihn nicht der Preis wichtig war, sondern die Tatsache, teilgenommen und gewonnen zu haben, und zwar mit einem abgenutzten Trick, nämlich mit dem alten einfältigen Dreh, eine Geschichte über jemanden zu schreiben, der eine Geschichte schreibt, und damit den Spruch wieder ein-

más que la vida era un cuento idiota contado por un idiota.

– Bueno, a lo mejor sí; pero no porque yo lo buscara – dijo, como despertando otra vez –. ¿Por qué no? Puede ser que se hayan dado cuenta de que era mío y que yo les caiga bien.

– ¿Entonces?

– ¿Entonces qué?

– ¿Cómo que qué?

– Ah, el coche. Quédate con él. Te digo en serio que no me importa.

– ¿Lo ves? Aunque no lo quieras reconocer, lo único que te importa es el coche, porque eres un egoísta. Bueno, llévatelo y regálaselo a cualquier puta – dijo ella pensando darle a entender una vez más que a él lo que le gustaba eran las mujeres que le sacaban el dinero, que lo engañaban, que no eran tan buenas como ella, y alzando más la voz, no con la idea de que él la oyera mejor, sino con la de distraer su atención del hecho de que empezaba a servirse otra copa.

– Haz con él lo que te dé la gana – respondió él en la misma forma, sirviéndose también y viendo otra vez distraído los zapatos que acababa de comprar y que se había ido quitando porque hacía mucho que no estrenaba zapatos y los pies le ardían –. ¡Tíralo, regálalo o véndelo!

En tanto bebía su ron, ella pensaba está exaltado, siempre se pone así, necesita demostrarme que es el más fuerte, que las cosas materiales no le interesan; que lo que desea es escribir y que yo lo admire por eso y lo quiera no por lo que tiene, sino por lo que puede hacer desinteresadamente; que yo crea, como lo creo, que estaría dispuesto a dejarse matar por las

mal veranschaulichte: das Leben ist eine von einem Idioten erzählte idiotische Erzählung.

«Nun ja, vielleicht schon; aber nicht, weil ich mich darum bemüht habe», sagte er, als erwache er gerade, «warum denn nicht? Vielleicht haben sie gemerkt, dass die Geschichte von mir war, und vielleicht waren sie mir wohlgesinnt.»

«Somit?»

«Somit was?»

«Was denn was?»

«Ach so, der Wagen. Behalte ihn. Ich sage dir allen Ernstes, dass er mir gleichgültig ist.»

«Siehst du? Auch wenn du es nicht zugeben willst, das einzig Wichtige ist für dich der Wagen, denn du bist ein Egoist. So nimm ihn doch und schenke ihn irgendeiner Nutte», sagte sie und versuchte, ihm wieder einmal zu verstehen zu geben, dass ihm vor allem an Frauen gelegen war, die ihm das Geld aus der Tasche zogen und ihn ausnahmen und natürlich lange nicht so gutherzig waren wie sie, dabei redete sie immer lauter, nicht damit er sie besser höre, sondern um seine Aufmerksamkeit von der Tatsache abzulenken, dass sie im Begriffe war, sich ein weiteres Gläschen Rum einzuschenken.

«Mach mit dem Wagen, was du willst», antwortete er auf die gleiche Weise, schenkte sich auch ein und schaute nochmals zerstreut auf seine soeben gekauften Schuhe, die er sich langsam ausgezogen hatte, weil es seit langem die ersten neuen Schuhe waren und ihm deshalb die Füße brannten, «wirf ihn weg, verschenke oder verkaufe ihn!»

Während sie ihre Rum trank, dachte sie: er ist überspannt, immer benimmt er sich so, hat es nötig, mir zu zeigen, dass er der Stärkere ist, dass die Güter dieser Welt ihm nichts bedeuten, dass er nur den Wunsch hat zu schreiben und sich dafür von mir bewundern zu lassen, dass er von mir nicht wegen seines Besitzes geliebt werden möchte, sondern wegen seines selbstlosen Tuns; ich soll glauben – und glaube es

tonterías de la literatura, o por un cuadro, o por ese tipo de cosas que todos admiran con razón, pero quién iría a pensar en hacer lo mismo por una guerra, o precisamente por las estupideces de que se ocupan otros, tipo negocios o qué. Pero por supuesto lo que contestó fue:

— Claro que sí; es lo que voy a hacer; a comprar lo que no puedo tener si mi hermana no me regala lo que le sobra para humillarme, o si tus amigos no te hacen el favor de obsequiarte un premio.

Ni lo iba a hacer ni se sentía humillada por nada; pero en las discusiones así era como se contestaba, aunque lo que estuviera inspirando el otro fuera deseo, o amor, o tal vez ternura, si bien nunca se sabía por qué razón todo esto mezclado casi siempre con odio.

— Bueno, no discutamos más — dijo él; estás casada con un buen escritor o con un tonto.

Al contrario de lo que ocurría con él, que se creía lo último, ella estaba segura de que en realidad era lo primero: pero tanto porque comenzaron a tener apetito como por no dar más importancia a lo que cada uno sentía en ese momento, se dirigieron a la cocina a buscar algo de cenar. Una vez ahí se produjo un silencio en medio del cual, mientras masticaban lentamente y tragaban con dificultad un poco de pan con jamón, pues no era cosa de ponerse a preparar una cena en forma, pensaron en coches azules, rojos o del color que fueran, y en zapatos nuevos, en largas avenidas llenas de coches, en horribles galeras de imprenta, y en pensiones para autos en que uno los dejaba seguros por la noche, y en revistas literarias en que el nombre de uno aparecía inmortalizado por un premio, y en discusiones animadas por el alcohol y

auch – dass er sich für so dummes Zeug wie die Literatur umbringen ließe, oder für ein Bild oder sonst etwas, was jeder zu Recht bewundert, aber wer käme auf den Gedanken, es auch für einen Krieg zu tun oder eben für die Albernheiten, mit denen sich andere abgeben, Geschäfte zum Beispiel oder sowas. Natürlich antwortete sie nicht das, sondern:

«Klar; genau das werde ich tun; kaufen, was ich mir jetzt nicht leisten kann, wenn meine Schwester mir nicht schenkt, was sie übrig hat, nur um mich zu demütigen, oder wenn deine Freunde dir nicht den Gefallen tun, dich mit einem Preis zu beehren.»

Sie wollte es gar nicht tun, und sie fühlte sich auch keineswegs gedemütigt, wegen gar nichts; aber in den Streitgesprächen antwortet man eben so, auch wenn der andere Begehren oder Liebe oder vielleicht Zärtlichkeit wecken wollte, wenngleich aus unerfindlichen Gründen dies alles fast immer auch noch mit Hass vermischt war.

«Gut, hören wir auf», sagte er, «du bist mit einem guten Schriftsteller verheiratet oder mit einem Trottel.»

Im Gegensatz zu dem, was ihm widerfuhr – er empfand sich nämlich als letzteres – war sie sicher, dass er tatsächlich und wahrhaftig das erstere war. Aber nun bekamen sie allmählich Hunger, auch war ihnen beiden nicht mehr wichtig, wer was in diesem Augenblick fühlte, und sie gingen in die Küche, um etwas zu essen zu suchen. Dort versanken sie in Schweigen, und während sie mit einiger Mühe ein Schinkenbrot kauten und hinunter schluckten, denn es ging ja nicht darum, ein eigentliches Abendessen zu bereiten, dachten sie an blaue oder rote Wagen, an Autos irgendwelcher Farbe, und an neue Schuhe, an lange Prunkstraßen voller Autos, an schreckliche Korrekturbögen, auch an Einstellplätze, wo der Wagen über Nacht sicher war, an Literaturzeitschriften, wo sein preisgekrönter Name unsterblich wurde, an alkoholbeflügelte Gespräche und wie sie zu führen waren, ohne dass

en cómo había que llevarlas sin darse nunca por vencido, y en el amor y en sexos y en frases de reconcilia-
ción y en quién diría la primera; hasta que terminado
el jamón y dos copas más, él dijo gracias, y ella contestó que de nada, ambos con el tono indiferente de
quien jamás se hubiera visto antes, después de lo
cual él con aire de dignidad o de decisión declaró voy
a escribir, y se levantó y se dirigió a su cuarto y se
sentó ante su pequeña mesa escritorio, y mientras
ella se desvestía frente a él y se metía en su cama sacó
una hoja de papel y con un lápiz en la mano se quedó viendo la hoja largamente, como hipnotizado por
el color blanco, hasta que ella, a su vez, después de
un largo rato de reflexionarlo fuerte o, como puede
imaginarse, de serios exámenes de conciencia, le preguntó desde la cama, entre imperiosa y suplicante,
sintiéndose abandonada y triste como la mayoría de
las noches en que él se dedicaba a aquello:
— ¿No vienes?

Por lo general, a las once y media de la noche uno se
encuentra más que cansado del trabajo, de las pruebas
de imprenta, de caminar con zapatos nuevos, de la
oficina, de los amigos, de sí mismo, de discutir, de
comer jamón con pan, de ganar premios, del propio
entusiasmo; aparte de que a esa hora el alcohol lo
hace a uno ver no sólo menos difícil el día siguiente
sino muchísimo más fácil el glorioso futuro; de manera que pensando en las frescas sábanas y en lo que
le esperaba en ellas respondió conciliador y esperan-
zado mientras tomaba rápidamente una última copa:
— Sí.

man sich je geschlagen geben musste, an Liebe und Sex und versöhnliche Sätze und wer von ihnen den ersten sagen würde; bis das Schinkenbrot fertig gegessen und noch zwei Gläser geleert waren, und er «danke» und sie «bitte» sagte, beide in einem Ton, als ob sie einander noch nie gesehen hätten, und er dann mit der Miene würdevoller Entschlossenheit erklärte, «ich gehe jetzt schreiben», aufstand, in sein Zimmer ging und sich an seinen kleinen Schreibtisch setzte, und während sie sich vor seinen Augen auskleidete und sich in ihr Bett legte, zog er ein Blatt Papier heraus und schaute mit dem Bleistift in der Hand lange, wie gebannt von der weißen Farbe, auf das Blatt, bis sie ihrerseits nach einer geraumen Weile angestrengten Nachdenkens, oder wie zu vermuten ist, ernsthafter Gewissenserforschung vom Bett aus fragte – es lag etwas Befehlendes und zugleich Bittendes in ihrer Stimme, denn sie war traurig und fühlte sich vernachlässigt wie in den meisten Nächten, in denen er sich seinem Tun widmete:

«Kommst du nicht?»

Im allgemeinen ist man so um halb zwölf Uhr nachts herum müde von der Arbeit, von den Druckbögen, vom Gehen in neuen Schuhen, hat mehr als genug vom Büro, von den Freunden, von sich selbst, von Rede und Gegenrede, vom Schinkenbrot-Essen und Preise-Gewinnen, von der eigenen Begeisterung; abgesehen davon lässt der Alkohol um diese Zeit den nächsten Tag nicht nur weniger schwierig, sondern die ruhmreiche Zukunft wesentlich einfacher aussehen; dergestalt, dass er beim Gedanken an die frischen Laken und was ihn darin erwartete, versöhnlich und hoffnungsfroh antwortete, während er schnell noch das letzte Glas leerte:

«Doch.»

Rosario Castellanos
El don rechazado

Antes que nada tengo que presentarme: mi nombre
es José Antonio Romero y soy antropólogo. Sí, la
antropología es una carrera en cierto modo reciente
dentro de la Universidad. Los primeros maestros
tuvieron que improvisarse y en la confusión hubo
oportunidad para que se colaran algunos elementos
indeseables, pero se han ido eliminando poco a poco.
Ahora, los nuevos, estamos luchando por dar a nuestra Escuela un nivel digno. Incluso hemos llevado
la batalla hasta el Senado de la República, cuando
se discutió el asunto de la Ley de Profesiones.

Pero me estoy apartando del tema; no era eso lo
que yo le quería contar, sino un incidente muy curioso que me ocurrió en Ciudad Real, donde trabajo.

Como usted sabe, en Ciudad Real hay una Misión
de Ayuda a los Indios. Fue fundada y se sostuvo,
al principio, gracias a las contribuciones de particu-
lares; pero ha pasado a manos del Gobierno.

Allí, entre los muchos técnicos, yo soy uno más
y mis atribuciones son muy variadas. Lo mismo sir-
vo, como dice el refrán, para un barrido que para un
fregado. Llevo al cabo tareas de investigador, inter-
vengo en los conflictos entre pueblos, hasta he fungi-
do como componedor de matrimonios. Naturalmente
que no puedo estar sentado en mi oficina esperando
a que lleguen a buscarme. Tengo que salir, tomar la
delantera a los problemas. En estas condiciones me
es indispensable un vehículo. ¡Dios santo, lo que me
costó conseguir uno! Todos, los médicos, los maes-

Rosario Castellanos
Die verschmähte Gabe

Bevor ich anfange, muss ich mich vorstellen: Mein Name ist
José Antonio Romero, ich bin Anthropologe. Ja, die Anthropo-
logie ist in gewissem Sinn eine neue Studienrichtung an der
Universität. Die ersten Professoren mussten irgendwie nach
eigenem Ermessen handeln, und im allgemeinen Durcheinander gab es auch für einzelne unerwünschte Personen Möglichkeiten hineinzuschlüpfen, aber sie wurden nach und nach
wieder entfernt. Wir Neuen setzen uns nun entschlossen dafür ein, unsere Schule auf einen würdigen Stand zu bringen.
Wir sind mit unserm Kampf sogar bis zum Senat der Repu-
blik vorgestoßen, als das Berufsgesetz erörtert wurde.

Aber ich schweife vom Thema ab; nicht das wollte ich Ihnen erzählen, sondern einen sehr merkwürdigen Zwischen-
fall, der sich in Ciudad Real abgespielt hat, wo ich zur Zeit
arbeite.

Wie Sie wissen, gibt es in Ciudad Real ein Hilfswerk für
Indios. Es wurde von privater Seite gegründet und anfänglich
auch ausschließlich mit Spenden unterhalten; mittlerweile ist
es in die Hände der Regierung übergegangen.

Hier bin ich unter den Facharbeitern einer von vielen und
beteilige mich an den verschiedensten Einsätzen. Ich bin,
wie das Sprichwort sagt, «Mädchen für alles». Ich habe For-
schungsaufträge übernommen, vermittle bei Streitigkeiten
zwischen Volksgruppen, ich habe sogar schon zerrüttete Ehen
wieder geflickt. Natürlich kann ich nicht in meinem Büro sitzen bleiben und warten, bis mich jemand holt. Ich muss auf
die Straße gehen und die Probleme erkennen. Angesichts dieses Umstandes brauche ich ein Fahrzeug. Heiliger Gott! Was
hat es für Mühe gekostet, eines zu bekommen! Alle, Ärzte,

tros, los ingenieros, pedían lo mismo que yo. Total, fuimos arreglándonoslas de algún modo. Ahora yo tengo, al menos unos días a la semana, un jeep a mi disposición.

Hemos acabado por entendernos bien el jeep y yo; le conozco las mañas y ya sé hasta dónde puede dar de sí. He descubierto que funciona mejor en carretera (bueno, en lo que en Chiapas llamamos carretera) que en la ciudad.

Porque allí el tráfico es un desorden; no hay señales o están equivocadas y nadie las obedece. Los coletos andan a media calle, muy quitados de la pena, platicando y riéndose como si las banquetas no existieran. ¿Tocar el claxon? Si le gusta perder el tiempo puede usted hacerlo. Pero el peatón ni siquiera se volverá a ver qué pasa y menos todavía dejarle libre el camino.

Pero el otro día me sucedió un detalle muy curioso, que es el que le quiero contar. Venía yo de regreso del paraje de Navenchauc e iba yo con el jeep por la Calle Real de Guadalupe, que es donde se hace el comercio entre los indios y los ladinos; no podía yo avenzar a más de diez kilómetros por hora, en medio de aquellas aglomeraciones y de la gente que se solaza regateando o que se tambalea, cargada de grandes bultos de mercancía. Le dije diez kilómetros, pera a veces el velocímetro ni siquiera marcaba.

A mí me había puesto de mal humor esa lentitud, aunque no anduviese con apuro, ni mucho menos. De repente sale corriendo, no sé de dónde, una indita como de doce años y de plano se echa encima del jeep. Yo alcancé a frenar y no le di más que un empujón muy leve con la defensa. Pero me bajé hecho una furia y soltando improperios. No le voy a ocultar nada, aunque me avergüence. Yo no tengo costumbre de

Lehrer, Ingenieure, verlangten das auch. Nun, irgendwie einigten wir uns schließlich, und jetzt verfüge ich wenigstens ein paar Tage in der Woche über einen Jeep.

Mittlerweile verstehen wir uns schon recht gut, der Jeep und ich; ich kenne seine Tücken und weiß ungefähr, was ich ihm zumuten darf. Ich habe herausgefunden, dass er auf der Überlandstraße (nun, was wir in Chiapas eben mit Überlandstraße meinen) besser fährt als in der Stadt.

Denn hier ist der Verkehr ein wildes Durcheinander; es gibt keine Ampeln, oder sie sind falsch geschaltet, und niemand beachtet sie. Die Einheimischen gehen mitten auf der Straße, schwatzen und lachen sorglos, als ob es gar keine Gehsteige gebe. Hupen? Wenn Sie die Zeit verlieren wollen, dürfen Sie es tun. Aber der Fußgänger wird sich nicht einmal umdrehen, um zu sehen, was los ist, und noch viel weniger den Weg frei machen.

Aber kürzlich hatte ich ein sehr merkwürdiges kleines Erlebnis, und das möchte ich Ihnen erzählen. Ich war auf dem Rückweg von unserem Stützpunkt Navenchauc und fuhr mit meinem Jeep durch die Hauptstraße von Guadalupe, wo Indios und «Weiße» ihren Handel abhalten; inmitten der Ansammlung von Menschen, die gemütlich um Preise feilschen oder unter der Last riesiger Warenbündel dahintorkeln, konnte ich höchstens mit zehn Stundenkilometern vorankommen. Zehn Stundenkilometer, habe ich gesagt, aber manchmal zeigte der Geschwindigkeitsmesser gar nichts an.

Dieses Schneckentempo verdarb mir die Laune, obwohl ich es eigentlich gar nicht eilig hatte, überhaupt nicht. Auf einmal rennt ein etwa zwölfjähriges Indio-Mädchen von irgendwo her und wirft sich längelang auf meinen Jeep hinauf. Ich konnte bremsen und stieß sie nur leicht mit der Stoßstange an. Trotzdem stieg ich wütend aus und beschimpfte sie unflätig. Ich will vor Ihnen nichts verbergen, obwohl ich mich schäme. Es ist nämlich nicht meine Gewohnheit, aber dies-

hacerlo, pero aquella vez solté tantas groserías como cualquier ladino de Ciudad Real.

La muchachita me escuchaba gimoteando y restregándose hipócritamente los ojos, donde no había ni rastro de una lágrima. Me compadecí de ella y, a pesar de todas mis convicciones contra la mendicidad y de la ineficacia de los actos aislados, y a pesar de que aborrezco el sentimentalismo, saqué una moneda, entre las burlas de los mirones que se habían amontonado a nuestro alrededor.

La muchachita no quiso aceptar la limosna pero me agarró de la manga y trataba de llevarme a un lugar que yo no podía comprender. Los mirones, naturalmente, se reían y decían frases de doble sentido, pero yo no les hice caso y me fui tras ella.

No vaya usted a interpretarme mal. Ni por un momento pensé que se tratara de una aventura, porque en ese caso no me habría interesado. Soy joven, estoy soltero y a veces la necesidad de hembra atosiga en estos pueblos infelices. Pero trabajo en una Institución y hay algo que se llama ética profesional que yo respeto mucho. Y además ¿para qué nos andamos con cuentos? Mis gustos son un poco más exigentes.

Total, que llegamos a una de las calles que desembocan a la de Guadalupe y allí me voy encontrando a una mujer, india también, tirada en el suelo, aparentemente sin conocimiento y con un recién nacido entre los brazos.

La muchachita me la señalaba y me decía quién sabe cuántas cosas en su dialecto. Por desgracia, yo no lo he aprendido aún porque, aparte de que mi especialidad no es la lingüística sino la antropología social, llevo poco tiempo todavía en Chiapas. Así es que me quedé en ayunas.

mal schimpfte ich so grob wie nur irgendein «Weißer» in Ciudad Real.

Das Mädchen hörte mir schluchzend zu und rieb sich heuchlerisch die Augen, aber da war nicht die Spur einer Träne. Ich bekam Mitleid mit ihr, und obwohl ich ein überzeugter Gegner der Bettelei bin und Einzelleistungen als unwirksam betrachte, obwohl ich Gefühlsduselei verabscheue, nahm ich inmitten der spöttischen Gaffer, die sich mittlerweile um uns geschart hatten, ein Geldstück aus der Tasche.

Das Mädchen wollte das Almosen nicht annehmen, packte mich am Ärmel und versuchte, mich irgendwohin zu zerren, was ich nicht verstand. Die Gaffer lachten natürlich und machten zweideutige Bemerkungen, aber ich beachtete sie nicht und ging dem Mädchen nach.

Verstehen Sie mich nicht falsch. Nicht einen Augenblick dachte ich, es handele sich um ein Abenteuer, denn in diesem Fall hätte es mich nicht gelockt. Ich bin zwar jung und ledig, und manchmal quält das Verlangen nach einem weiblichen Wesen in diesen Elendsdörfern. Aber ich arbeite in einer öffentlichen Institution, und es gibt etwas, was man Berufsethos nennt, und das achte ich hoch. Überdies, warum um den Brei herumreden? Mein Geschmack ist ein bisschen anspruchsvoller.

Also, wir kamen in eines der Gässchen, die in die Guadalupe-Straße einmünden, und hier lag eine Frau, auch eine Indianerin, anscheinend bewusstlos auf dem Boden und hielt ein Neugeborenes im Arm.

Das Mädchen deutete auf sie hin und sagte mir einen Haufen Dinge in ihrer Sprache. Leider verstand ich diese noch nicht, denn zum einen bin ich nicht Linguist, sondern Sozialanthropologe, zum andern bin ich erst seit kurzem in Chiapas. Infolgedessen begriff ich überhaupt nicht, worum es ging.

Al inclinarme hacia la mujer tuve que reprimir el
impulso de taparme la nariz con un pañuelo. Despedía un olor que no sé cómo describirle : muy fuerte,
muy concentrado, muy desagradable. No era sólo el
olor de la suciedad, aunque la mujer estuviese muy
sucia y el sudor impregnara la lana de su chamarro.
Era algo más íntimo, más … ¿cómo le diría yo? Más
orgánico.

Automáticamente (yo no tengo de la medicina más
nociones que las que tiene todo el mundo) le tomé el
pulso. Y me alarmó su violencia, su palpitar caótico.
A juzgar por él, la mujer estaba muy grave.

Ya no dudé más. Fui por el jeep para transportarla
a la clínica de la Misión.

La muchachita no se apartó de nosotros ni un momento; se hizo cargo del recién nacido, que lloraba
desesperadamente, y cuidó de que la enferma fuera
si no cómoda, por lo menos segura, en la parte de
atrás del jeep.

Mi llegada a la Misión causó el revuelo que usted
debe suponer; todos corrieron a averiguar qué suce-
día y tuvieron que aguantarse su curiosidad, porque
yo no pude informarles más de lo que le he contado
a usted.

Después de reconocerla, el médico de la clínica dijo
que la mujer tenía fiebre puerperal. ¡Hágame usted
el favor! Su hijo había nacido en quién sabe qué
condiciones de falta de higiene y ahora ella estaba
pagándolo con una infección que la tenía a las puertas de la muerte.

Tomé el asunto muy a pecho. En esos días gozaba
de una especie de vacaciones y decidí didicárselas
a quienes habían recurrido a mí en un momento de
apuro.

Als ich mich zu der Frau niederbeugte, musste ich mich überwinden, mir nicht ein Taschentuch vor die Nase zu halten. Ein schwer zu beschreibender Geruch strömte mir entgegen: beißend, scharf, äußerst unangenehm. Er kam nicht nur vom Schmutz, obwohl die Frau sehr schmutzig war und der Schweiß in ihrem wollenen Umhang hockte. Er war irgendwie persönlicher, wie soll ich sagen? ... irgendwie organischer.

Unwillkürlich (ich verstehe von Medizin kein bisschen mehr als andere Leute) nahm ich ihr den Puls. Ich erschrak, wie heftig und sprunghaft er war. Ich schloss daraus, dass es der Frau sehr schlecht ging.

Ich zögerte nicht mehr und ging den Jeep holen, um sie ins Missionshospital zu bringen.

Das Mädchen wich keinen Augenblick von unserer Seite. Sie kümmerte sich um das Neugeborene, das herzzerrei-ßend weinte, und sie bemühte sich, die Kranke, wenn nicht bequem, so doch wenigstens sicher hinten im Jeep zu bet-ten.

Meine Ankunft in der Mission sorgte für Aufruhr, wie Sie sich vorstellen können; alle eilten herbei, wollten wissen, was vor sich ging, aber ihre Neugier blieb ungestillt, denn ich konnte nicht mehr berichten, als was ich Ihnen geschil-dert habe.

Bei der Untersuchung im Hospital stellte dann der Arzt fest, dass die Frau Kindbettfieber hatte. Na bitte schön! Sie hatte ihr Kind unter wer weiß was für misslichen hy-gienischen Bedingungen geboren, und jetzt musste sie da-für mit einer Infektion bezahlen, die sie an den Rand des Grabes brachte.

Ich nahm mir die Sache sehr zu Herzen. Ich hatte damals gerade ein paar Tage so was wie Ferien und beschloss, sie de-nen zu widmen, die sich in einer Notlage an mich gewandt hatten.

Cuando se agotaron los antibióticos de la farmacia de la Misión, para no entretenerme en papeleos, fui yo mismo a comprarlos a Cuidad Real y lo que no pude conseguir allí fui a traerlo hasta Tuxtla. ¿Qué con cuál dinero? De mi propio peculio. Se lo digo, no para que me haga usted un elogio que no me interesa, sino porque me comprometí a no ocultarle nada. ¿Y por qué había usted de elogiarme? Gano bien, soy soltero y en estos pueblos no hay mucho en qué gastar. Tengo mis ahorros. Y quería yo que aquella mujer sanara.

Mientras la penicilina surtía sus efectos, la muchachita se paseaba por los corredores de la clínica con la criatura en brazos. No paraba de berrear, el condenado. Y no era para menos con el hambre. Se le dio alimento artificial y las esposas de algunos empleados de la Misión (buenas señoras, si se les toca la fibra sensible) proveyeron de pañales y talco y todas esas cosas al escuincle.

Poco a poco, los que vivíamos en la Misión nos fuimos encariñando con aquella familia. De sus desgracias nos enteramos pormenorizadamente, merced a una criada que hizo la traductora del tzeltal al español, porque el lingüista andaba de gira por aquellas fechas.

Resulta que la enferma, que se llamaba Manuela, había quedado viuda en los primeros meses del embarazo. El dueño de las tierras que alquilaba su difunto marido le hizo las cuentas del Gran Capitán. Según él, había hecho compromisos que el peón no acabó de solventar; préstamos en efectivo y en especie, adelantos, una maraña que ahora la viuda tenía la obligación de desenredar.

Manuela huyó de allí y fue a arrimarse con gente

Als die Antibiotika in der Missionsapotheke aufgebraucht waren, fuhr ich nach Ciudad Real und kaufte sie dort selbst, um nicht unnötig Zeit mit Papierkram zu verlieren, und was ich dort nicht bekam, holte ich in Tuxtla. Woher ich das Geld hatte? Aus meiner eigenen Tasche. Ich sage Ihnen das nicht, um Lob dafür zu ernten, denn darauf bin ich nicht erpicht, sondern weil ich versprochen habe, Ihnen nichts zu verbergen. Wofür sollten Sie mich überhaupt loben? Ich verdiene gut, bin ledig, und in diesen Dörfern gibt es kaum Möglichkeiten, etwas auszugeben. Ich habe Ersparnisse. Ich wollte, dass diese Frau gesund wurde.

Das Penicillin zeigte Wirkung, das Mädchen spazierte immerzu mit dem Kleinen auf dem Arm in den Fluren der Klinik auf und ab. Das verflixte Kind plärrte ununterbrochen. Und nicht einmal aus Hunger. Es bekam Fremdnahrung, und die Gattinnen der Missionsangestellten (gute Frauen, wenn ihr empfindsamer Nerv getroffen wird) versorgten das arme Würmchen mit Windeln, Talgpuder und was es sonst noch brauchte.

Allmählich gewannen wir alle, die wir in der Missionsstation wohnten, die Familie lieb. Wir erfuhren alle möglichen Einzelheiten ihres Schicksals, und zwar dank der Hilfe einer Hausangestellten, die vom Tzeltal ins Spanische übersetzte, denn der Linguist bereiste in jenen Tagen das Missionsgebiet.

Es stellte sich heraus, dass die Kranke – sie hieß Manuela – in den ersten Monaten ihrer Schwangerschaft verwitwet war. Der Besitzer des Bodens, den der Verstorbene gepachtet hatte, spielte seine Macht aus und legte ihr eine unverschämte Abrechnung vor. Danach war der Taglöhner Verpflichtungen eingegangen, die er nicht eingelöst hatte: Darlehen in Bargeld und Waren, Vorschüsse, ein Wirrsal, das die Witwe nun auflösen sollte.

Manuela floh und suchte bei Verwandten Zuflucht. Aber

de su familia. Pero el embarazo le hacía difícil trabajar en la milpa. Además, las cosechas habían sido insuficientes durante los últimos años y en todos los parajes se estaba resintiendo la escasez.

¿Qué salida le quedaba a la pobre? No se le ocurrió más que bajar a Ciudad Real y ver si podía colocarse como criada. Piénselo usted un momento: ¡Manuela criada! Una mujer que no sabía cocinar más que frijoles, que no era capaz de hacer un mandado, que no entendía siquiera el español. Y de sobornal, la criatura por nacer.

Al fin de las cansadas, Manuela consiguió acomodo en un mesón para arrieros que regenteaba una tal doña Prájeda, con fama en todo el barrio de que hacía reventar, a fuerza de trabajo, a quienes tenían la desgracia de servirla.

Pues allí fue a caer mi dichosa Manuela. Como su embarazo iba ya muy adelantado, acababa el quehacer con la ayuda de su hija mayor, Marta, muchachita muy lista y con mucho despejo natural.

De algún modo se las agenciaron las dos para dar gusto a la patrona quien, según supe después, le tenía echado el ojo a Marta para venderla al primero que se la solicitara.

Por más que ahora lo niegue, doña Prájeda no podía ignorar en qué estado recibía a Manuela. Pero cuando llegó la hora del parto, se hizo de nuevas, armó el gran borlote, dijo que su mesón no era un asilo y tomó las providencias para llevar a su sirvienta al Hospital Civil.

La pobre Manuela lloraba a lágrima viva. Hágase usted cargo; en su imaginación quién sabe qué había urdido que era un hospital. Una especie de cárcel, un lugar de penitencia y de castigo. Por fin, a fuerza de

die Schwangerschaft erschwerte ihr das Arbeiten auf dem Maisfeld. Außerdem waren in den letzten Jahren die Ernten schlecht gewesen, und in allen Hütten wurde der Mangel spürbar.

Was für ein Ausweg blieb der Ärmsten? Es fiel ihr nichts anderes ein, als nach Ciudad Real zu gehen und dort zu versuchen, als Dienstmädchen unterzukommen. Stellen Sie sich das einmal vor! Manuela als Dienstmädchen! Eine Frau, die nur Bohnenmus kochen konnte, die nicht fähig war, einen Auftrag zu erledigen, die kein Spanisch verstand. Und obendrein in Bälde ein Kind gebären würde.

Am Ende der Mühsal fand Manuela Unterschlupf in einem Fuhrbetrieb; dort regierte Doña Prájeda, die in der ganzen Gegend dafür bekannt war, dass alle bis zum Umfallen schuften mussten, die das Unglück hatten, in ihre Dienste zu geraten.

Nun, dahin verschlug es unsere unglückliche Manuela. Da ihre Schwangerschaft schon weit fortgeschritten war, kam sie mit ihrer Arbeit nur dank der Hilfe ihrer größeren Tochter Marta zu Rande, einem aufgeweckten Mädchen mit viel angeborenem Geschick.

Irgendwie brachten es die beiden fertig, ihre Meisterin zufrieden zu stellen. Wie ich später erfuhr, hatte diese ein Auge auf Marta geworfen und beabsichtigte, sie dem Erstbesten zu verkaufen, der sie begehrte.

So entschieden es Doña Prájeda heute auch abstreitet, sie wusste genau, in welchem Zustand sie Manuela bei sich einstellte. Aber als die Stunde der Niederkunft kam, tat sie, als falle sie aus allen Wolken, schrie Zetermordio, ihr Haus sei kein Obdachlosenheim, und traf Anstalten, ihre Bedienstete ins öffentliche Spital zu bringen.

Die arme Manuela weinte herzzerreißend. Versetzen Sie sich in ihre Lage: sie hatte sich weiß Gott was unter einem Spital vorgestellt: eine Art Gefängnis, ein Zuchthaus, eine Strafanstalt. Schließlich erreichte sie mit ihrem hartnäckigen

ruegos, logró que su patrona se aplacara y consintiera en que la india diera a luz en su casa.

Doña Prájeda es de las que no hacen un favor entero. Para que Manuela no fuera a molestar a nadie con sus gritos, la zurdió en la caballeriza. Allí, entre el estiércol y las moscas, entre quién sabe cuántas porquerías más, la india tuvo su hijo y se consiguió la fiebre con que la recogí.

Apenas aparecieron los primeros síntomas de la enfermedad, la patrona puso el grito en el cielo y sin tentarse el alma, echó a la calle toda la familia. Allí podían haber estado, al sol y sereno, si un alma caritativa no se compadece de ellas y le da a Marta el consejo de que recurriera a la Misión, ya que el Hospital Civil aterrorizaba tanto a su madre.

Marta no sabía dónde quedaba la Misión, pero cuando vieron pasar un jeep con nuestro escudo, alguien la empujó para que yo me parara.

Si hacemos a un lado el susto y el regaño, el expediente no les salió mal, porque en la Misión no sólo curamos a Manuela, sino que nos preocupábamos por lo que iba a ser de ella y de sus hijos después de que la dieran de alta en la clínica.

Manuela estaba demasiado débil para trabajar y Marta andaba más bien en edad de aprender. ¿Por qué no meterla en el Internado de la Misión? Allí les enseñan oficios, rudimentos de lectura y escritura, hábitos y necesidades de gente civilizada. Y después del aprendizaje, pueden volver a sus propios pueblos, con un cargo qué desempeñar, con un sueldo decente, con una dignidad nueva.

Se lo propusimos a Manuela, creyendo que iba a ver el cielo abierto; pero la india se concretó a

Betteln, dass ihre Arbeitgeberin sich erweichen ließ und ihr gestattete, ihr Kind in ihrem Haus zu gebären.

Doña Prájeda gehörte nicht zu denen, die eine Gunst ganz gewähren. Damit Manuela mit ihren Schreien niemanden belästige, verbannte sie sie in den Pferdestall. Inmitten von Mist und Fliegen und wer weiß was sonst noch für Dreck brachte sie ihr Kind zur Welt und steckte sich mit dem Fieber an, in dem ich sie vorfand.

Kaum machten sich die ersten Krankheitszeichen bemerkbar, gebärdete sich die Meisterin wie wild und setzte, ohne mit der Wimper zu zucken, die ganze Familie auf die Straße. Dort wären sie der Sonne und dem Nachthimmel ausgesetzt gewesen, wenn nicht eine mitleidige Seele sich ihrer erbarmt und Marta geraten hätte, es doch bei der Missionsstation zu versuchen, wenn das öffentliche Spital ihrer Mutter einen derartigen Schrecken einjage.

Marta wusste nicht, wo die Missionsstation war, aber als ein Jeep mit unserem Erkennungszeichen vorbeifuhr, wurde sie von jemandem hingestoßen, so dass ich anhalten musste.

Abgesehen vom Schreck und meinem Schimpfen ging das Unternehmen für sie gar nicht so schlecht aus, denn in der Missionsstation pflegten wir nicht nur die Mutter gesund, sondern wir kümmerten uns auch darum, was aus ihr und den Kindern werden sollte, wenn sie das Spital verließen.

Manuela war zu schwach zum Arbeiten, und Marta war eher im Alter, wo sie etwas lernen sollte. Warum sie also nicht ins Internat der Mission stecken? Dort lernen die Kinder einen Beruf, die Grundbegriffe von Lesen und Schreiben und die Umgangsformen und Bedürfnisse zivilisierter Menschen. Nach der Ausbildung können sie in ihre Dörfer zurückkehren, eine Tätigkeit ausüben, die angemessen entlohnt wird, und so zu einer neuen Würde kommen.

Wir machten Manuela diesen Vorschlag und glaubten, sie würde den Himmel offen sehen; aber die Indio-Frau drückte

apretar más a su hijo contra su pecho. No quiso responder.

Nos extrañó una reacción semejante, pero en las discusiones con los otros antropólogos sacamos en claro que lo que le preocupaba a Manuela era el salario de su hija, un salario con el que contaba para mantenerse.

Ya calculará usted que no era nada del otro mundo; una bicoca y para mí, como para cualquiera, no representaba ningún sacrificio hacer ese desembolso mensual. Fui a proponerle el arreglo a la mujer y le expliqué el asunto, muy claramente, a la intérprete.

– Dice que si le quiere usted comprar a su hija, para que sea su querida, va a pedir un garrafón de trago y dos almudes de maíz. Que en menos no se la da.

Tal vez hubiera sido más práctico aceptar aquellas condiciones, que a Manuela le parecían normales e inocentes porque eran la costrumbre de su raza. Pero yo me empeñé en demostrarle, por mí y por la Misión, que nuestros propósitos no eran, como los de cualquier ladino de Ciudad Real, ni envilecerlas ni explotarlas, sino que queríamos dar a su hija una oportunidad para educarse y mejorar su vida. Inútil. Manuela no salía de su cantinela de trago y del maíz, a los que ahora había añadido también, al ver mi insistencia, un almud de frijol.

Opté por dejarla en paz. En la clínica seguían atendiéndola, a ella y a sus hijos, alimentándolos, echándoles DDT en la cabeza, porque les hervía de piojos.

Pero no me resignaba yo a dar el asunto por perdido; me remordía la conciencia ver a una mucha-

als Antwort nur ihr Kind noch fester an ihre Brust. Sie wollte nichts dazu sagen.

Dieses Verhalten befremdete uns sehr, aber im Gespräch mit anderen Anthropologen kamen wir zum Schluss, dass Manuelas einzige Sorge der Lohn ihrer Tochter war, denn mit diesem Einkommen rechnete sie für ihren Lebensunterhalt.

Sie können sich leicht ausrechnen, dass es sich um keine weltbewegende Summe handelte, es war ein Pappenstiel! Dieser monatliche Betrag bedeutete weder für mich noch irgendwen sonst ein Opfer. Ich schlug der Frau ein solches Übereinkommen vor und erklärte der Übersetzerin die Sache sehr deutlich.

«Sie sagt, wenn Sie die Tochter kaufen und zu Ihrer Geliebten machen wollen, verlangt sie eine große Flasche Branntwein und zwei Maß Mais, für weniger gibt sie das Mädchen nicht her.»

Vielleicht wäre es einfacher und angemessener gewesen, auf diese Bedingungen einzugehen, die für Manuela normal und harmlos waren, denn sie waren in ihrem Volk alte Gewohnheit. Aber ich bestand darauf, ihr zu zeigen, dass die Mission und auch ich andere Ziele hatten als die «Weissen» sonst in Ciudad Real, dass wir sie nicht demütigen und ausbeuten, sondern ihrer Tochter eine Ausbildung und damit ein besseres Leben ermöglichen wollten. Umsonst. Manuela wiederholte nur immer wieder ihre Forderung auf Branntwein und Mais, aber in Anbetracht meiner Hartnäckigkeit fügte sie noch ein Maß Bohnen hinzu.

Ich fand es besser, sie in Ruhe zu lassen. Im Spital bekamen sie und ihre Kinder weiterhin die nötige Pflege, das Essen und DDT auf den Kopf, denn sie wurden von Läusen fast aufgefressen.

Aber ich gab mein Vorhaben noch nicht auf; ich hatte Gewissensbisse, ein so aufgewecktes Mädchen wie Marta ein-

chita, tan viva como Marta, criarse a la buena de Dios, ir a parar en quién sabe qué miseria.

Alguien sugirió que el mejor modo de ganarme la confianza de la madre era por el lado de la religión: un compadrazgo es un parentesco espiritual que los indios respetan mucho. El recién nacido no estaba bautizado. ¿Por qué no ir convenciendo, poco a poco, a Manuela, de que me nombrara padrino de su hijo?

Empecé por comprarle juguetes a la criatura: una sonaja, un ámbar para el mal de ojo. Procuraba yo estar presente en el momento en que la enfermera lo bañaba y hasta aprendí a cambiarle los pañales sin causar demasiados estropicios.

Manuela me dejaba hacer, pero no sin inquietud, con un recelo que no lograba disimular tras sus sonrisas. Respiraba tranquila sólo cuando el chiquillo estaba de nuevo en su regazo.

A pesar de todo, yo me hacía ilusiones de que estaba ganando terreno y un día consideré que había llegado el momento de plantear la cuestión del bautizo.

Después de los rodeos indispensables, la intérprete dijo que aquella criatura no podía seguir viviendo como un animalito, sin nombre, sin un sacramento encima. Yo veía a Manuela asentir dócilmente a nuestras razones y aun reforzarlas con gestos afirmativos y con exclamaciones de ponderación. Creí que el asunto estaba arreglado.

Pero cuando se trató de escoger al padrino Manuela no nos permitió continuar; ella había pensado en eso desde el principio y no valía la pena discutir.

— ¿Quién? — la preguntó la intérprete.

Yo me aparté unos pasos para permitir a la enferma que hablara con libertad.

fach ihrem Schicksal zu überlassen und irgendwo im Elend verkommen zu sehen.

Jemand schlug vor, das Vertrauen der Mutter mit Hilfe der Religion zu gewinnen: eine Patenschaft ist eine geistige Verwandtschaft, welche die Indios hoch achten. Der neugeborene Knabe war noch nicht getauft. Warum also nicht Manuela langsam davon überzeugen, mich als Paten des Kindes zu wählen?

Zuerst kaufte ich dem Säugling Spielsachen: eine Rassel, einen Bernstein gegen den bösen Blick. Ich bemühte mich, zugegen zu sein, wenn die Krankenschwester ihn badete, und lernte sogar, ihm die Windeln zu wechseln, ohne mich allzu ungeschickt anzustellen.

Manuela ließ mich gewähren, aber nicht ohne Besorgnis, und es gelang ihr nicht ganz, ihren Argwohn hinter einem Lächeln zu verbergen. Sie atmete erst wieder ruhig, wenn das Kind wieder in ihrem Schoß lag.

Trotzdem meinte ich, Boden zu gewinnen, und eines Tages fand ich den Augenblick für gekommen, die Frage der Taufe anzuschneiden.

Nach den unumgänglichen Umschweifen sagte die Dolmetscherin, dass dieses Kind doch nicht länger wie ein kleines Tier dahinleben sollte, ohne Namen und ohne Sakrament. Ich sah, dass Manuela unseren Begründungen willfährig zustimmte und sie sogar mit bejahenden Gesten und eigenen Überlegungen bestärkte. Ich glaubte, die Sache sei beschlossen.

Aber als es darum ging, einen Paten zu bestimmen, ließ uns Manuela nicht mehr weiterreden; sie hatte von Anfang an schon darüber nachgedacht, und es lohnte sich nicht, noch etwas dazu zu sagen.

«Wer?» fragte die Dolmetscherin.

Ich trat einige Schritte zur Seite, damit die Kranke ungehindert sprechen konnte.

– Doña Prájeda – respondió la india en su media lengua.

No pude contenerme y, asido a los barrotes de la cama, la sacudía con un paroxismo de furor.

– ¿Doña Prájeda? – repetía yo con incredulidad. ¿La que te mandó a la caballeriza para que tu hijo naciera entre la inmundicia? ¿La que te echó a la calle cuando más necesidad tenías de su apoyo y su consuelo? ¿La que no se ha parado una sola vez en la Misión para preguntar si viviste o moriste?

– Doña Prájeda es mi patrona – respondió Manuela con seriedad. No hemos deshecho el trato. Yo no he salido todavía de su poder.

Para no hacerle el cuento largo, la alegata duró horas y no fue posible que Manuela y yo llegáramos a ningún acuerdo. Yo salí de la clínica dándome a todos los demonios y jurando no volver a meterme en lo que no me importaba.

Unos días después Manuela, ya completamente restablecida, dejó la Misión junto con sus hijos. Volvió a trabajar con doña Prájeda, naturalmente.

A veces me la he encontrado en la calle y me esconde los ojos. Pero no como si tuviera vergüenza o remordimientos. Sino como si temiera recibir algún daño.

¡No, por favor, no llame usted a Manuela ni ingrata, ni abyecta, ni imbécil! No concluya usted, para evitarse responsabilidades, que los indios no tienen remedio. Su actitud es muy comprensible. No distinguen un *caxlán* de otro. Todos parecemos iguales. Cuando uno se le acerca con brutalidad, ya conoce el modo, ya sabe lo que debe hacer. Pero cuando otro es amable y le da sin exigir nada en cambio, no lo entiende. Está fuera del orden que im-

«Doña Prájeda», antwortete die Indio-Frau in der ihr fremden Sprache.

Ich konnte nicht an mich halten, packte die Gitterstäbe des Bettes und rüttelte in einem Wutanfall daran.

«Doña Prájeda?» fragte ich ungläubig zurück, «die dich in den Pferdestall verwiesen hat, damit dein Kind im Dreck geboren wird? Die dich auf die Straße gesetzt hat, als du ihren Schutz und ihre Sorge am dringendsten brauchtest? Die kein einziges Mal in der Missionsstelle aufgetaucht ist, um nachzufragen, ob du überlebt hast oder schon gestorben bist?»

«Doña Prájeda ist immer noch meine Meisterin», antwortete Manuela ernst, «wir haben den Vertrag noch nicht aufgelöst. Ich bin immer noch ihre Untergebene.»

Um Sie mit der Geschichte nicht noch länger hinzuhalten: So ging es stundenlang, und es war nicht möglich, dass Manuela und ich zu einer Übereinkunft kamen. Ich verließ das Spital und wünschte mich zu allen Teufeln. Ich schwor, mich nie mehr in Dinge einzumischen, die mich nichts angingen.

Einige Tage später war Manuela wieder ganz genesen und verließ die Missionsstation mit ihren Kindern. Sie arbeitete natürlich wieder bei Doña Prájeda.

Ein paar Mal habe ich sie auf der Straße getroffen, aber jedesmal hat sie den Blick abgewandt. Nicht weil sie Gewissensbisse hätte oder sich schämte, eher fürchtet sie, dass ihr Unheil erwächst.

Nein, bitte, halten Sie Manuela nicht für undankbar oder kriecherisch oder dumm! Folgern Sie nicht einfach, um Ihrer Verantwortung auszuweichen, den Indios sei nicht zu helfen. Ihr Verhalten ist verständlich. Sie unterscheiden nicht zwischen einem «Weißen» und einem anderen. Für sie sind wir alle gleich. Wenn sich einer von uns grob und rücksichtslos nähert, kennen sie das schon und wissen, was sie zu tun haben. Aber wenn jemand freundlich ist, ihnen etwas schenkt, ohne eine Gegenleistung zu verlangen, dann ver-

pera en Ciudad Real. Teme que la trampa sea aún más peligrosa y se defiende a su modo: huyendo.

Yo sé todo esto; y sé que si trabajamos duro, los de la Misión y todos los demás, algún día las cosas serán diferentes.

Pero mientras tanto Manuela, Marta ... ¿Qué será de ellas? Lo que quiero que usted me diga es ¿si yo, como profesionista, como hombre, incurrí en alguna falta? Debe de haber algo. Algo que yo no les supe dar.

stehen sie das nicht. Das ist außerhalb der Ordnung, die in Ciudad Real gilt. Sie fürchten, die Falle sei noch gefährlicher und verteidigten sich auf ihre Art: sie fliehen.

Ich weiß das alles; ich weiß aber auch: wenn wir hart arbeiten, wir von der Missionsstation und alle andern, wird es eines Tages anders werden.

Aber bis dann, Manuela, Marta ... Was wird aus ihnen? Ich möchte von Ihnen wissen, ob ich beruflich oder als Mensch einen Fehler gemacht habe. So etwas muss es sein. Irgend etwas habe ich ihnen nicht zu geben vermocht.

Inés Arredondo
La casa de los espejos

Cuando le llegó su turno entró con pasos tímidos y, sin saludar, se sentó a un lado del escritorio, en el lugar de los clientes. Me miró largamente de una manera fija, extraña.

– Mi papá se está muriendo.

No pestañeó al decirlo, pero palideció intensamente. Estaba demasiado trastornado y su mirada desconsolada esperó algo; luego bajó los ojos con una especie de pudor y se quedó serio y quieto, sin respirar. Debía tener veinte años y estaba haciendo tantos esfuerzos que pensé en que eran excesivos, que no correspondían. Hubiera sido mejor haber mandado a un amigo de la familia y no a este pobre muchacho que no parecía estar delante del notario, sino de la muerte. Quizá habría algo delicado en la formulación del testamento. Razón de más. No me gusta tratar esos asuntos con niños.

– Me llamo Manlio … Manlio Uribe. Mis hermanos grandes no querían que viniera, pero no lo podemos dejar morir así … No tenemos para curarlo, ni para traerlo del rancho. Y yo pensé que usted … al fin también … Bueno, si pudiera. ¡No podemos dejarlo morir así!

Sentí que una gran ola de sangre retumbaba en todo mi cuerpo. Una marejada cálida y espléndida, una sangre nueva.

Me levanté del sillón y luego le hablé con calma, despacio.

– No veo por qué no puede morir así. No es posi-

Inés Arredondo
Das Haus mit den Spiegeln

Als die Reihe an ihm war, kam er mit schüchternen Schritten
herein und setzte sich, ohne zu grüßen, auf die andere Seite
des Schreibtisches, den Platz für die Klienten. Er schaute
mich lange und seltsam starr an:

«Mein Papa liegt im Sterben.»

Er zwinkerte nicht mit den Augen, während er es sagte,
aber er wurde ganz blass. Er war zu verwirrt, und sein hilf-
loser Blick erwartete etwas; dann schaute er irgendwie ver-
schämt zu Boden und saß ernst und ruhig da, fast ohne zu
atmen. Er mochte etwa zwanzig Jahre alt sein und strengte
sich sichtlich sehr an, ich fand es übertrieben und unverhält-
nismäßig. Es wäre besser gewesen, einen Freund der Familie
vorbeizuschicken und nicht diesen armen Jungen, denn er
sah aus, als säße er nicht vor einem Notar, sondern vor dem
Tod. Vielleicht gab es etwas Heikles beim Aufsetzen des
Testaments. Ein Grund mehr. Solche Angelegenheiten ver-
handle ich nicht gern mit Kindern.

«Ich heiße Manlio ... Manlio Uribe. Meine älteren Geschwister wollten nicht, dass ich komme, aber wir können
ihn nicht so sterben lassen ... Wir haben kein Geld für seine
Behandlung, nicht einmal, um ihn vom Rancho herunter
zu bringen. Und ich dachte, dass Sie ... ja schließlich auch ...
Gut, wenn es Ihnen möglich wäre. Wir können ihn nicht so
sterben lassen!

Ich spürte einen mächtigen Schwall Blut durch meinen
ganzen Körper rauschen, ein gewaltiges heißes Wogen, wie
frisches Blut.

Ich stand auf und sprach ruhig und langsam.

«Ich sehe nicht ein, warum er nicht so sterben kann. Es ist

ble ser un miserable y morir como un millonario, sobre todo si se ha botado, tirado, hasta lo que no era propio. Él escogió esa vida, ese rancho. Es natural que muera como le corresponde.

– Pero usted no ha comprendido bien. Se trata de Roberto Uribe, su …

– He comprendido perfectamente. Se trata de Roberto Uribe, *tu* padre.

Ya no lo miraba ni me importaba un comino. Me encontraba caminando por el despacho, sin prisa, atento al desasosiego de mi pecho, al zumbido de mi cabeza. Respiraba con fuerza, consciente de mi respiración.

– Quiero que le repitas, palabra por palabra, lo que acabo de decirte.

Se quedó atónito, los ojos amarillos, diluidos, y sin más nota de color en la cara que una desteñida mancha de sol en la mejilla izquierda. Tenía los labios ligeramente abiertos y me pareció inminente que empezara a babear.

– Si los escogió a ustedes, que se conforme con lo que ustedes pueden darle. Díselo también.

Una pequeña luz de comprensión lo iluminó débilmente: yo le había hablado como un déspota y al menos eso había entendido. No me importaba. Pero con un ademán derrotado, bajando la cabeza, dijo todavía:

– Cómo quiere que le vaya a contar eso …

Lo quería y no le hablaría nunca de mí, de mi actitud. Tuve deseos de golpearlo. Pero mientras se levantaba pesadamente, sin fuerzas, pensé mejor las cosas.

– Está bien. ¿Cuánto necesitas para trasladarlo?

No quise fijarme más en él. Me ocupaba únicamen-

nicht möglich, ein armer Tropf zu sein und wie ein Millionär zu sterben, vor allem wenn man alles verschleudert und weggeschmissen hat, sogar was einem nicht selber gehörte. Er hat dieses Leben gewählt, die armselige Hütte. Es ist nur natürlich, dass er dementsprechend stirbt.

«Aber Sie haben mich nicht richtig verstanden. Es handelt sich um Roberto Uribe, Ihren ...»

«Ich habe sehr wohl verstanden, es handelt sich um Roberto Uribe, deinen Vater.»

Ich schaute ihn nicht mehr an, er war mir völlig gleichgültig. Langsam ging ich im Büro auf und ab, meine Aufmerksamkeit galt dem Aufruhr in meiner Brust, dem Sausen in meinem Kopf. Ich atmete mühsam, achtete auf jeden Atemzug.

«Ich will, dass du ihm Wort für Wort wiederholst, was ich dir gesagt habe.»

Er war sprachlos, seine gelben Augen waren weit aufgerissen, die einzige Farbe in seinem Gesicht war ein verblasster Fleck Sonnenbräune auf der linken Wange. Die Lippen waren leicht geöffnet, und ich erwartete, dass er sogleich zu geifern anfange.

«Er hat euch gewählt, und nun muss er sich eben damit begnügen, was ihr ihm geben könnt. Sag ihm das auch.»

Schwach glomm auf seinem Gesicht etwas wie Verständnis auf; ich hatte wie ein Machthaber mit ihm geredet, und zumindest das hatte er begriffen. Es war mir gleichgültig. Aber völlig niedergeschmettert und mit gesenktem Kopf sagte er dann noch:

«Wie soll ich ihm denn so etwas sagen ...»

Er liebte ihn und würde ihm nie ein Wort von mir sagen, von meinem Verhalten. Ich hatte Lust, auf ihn einzuschlagen, aber während er schwerfällig und kraftlos aufstand, überlegte ich mir die Sache anders:

«Also gut. Wieviel brauchst du für den Transport?»

Ich wollte ihn nicht mehr anschauen. Es ging mir einzig

te en mostrarme magnánimo, en atender con largueza
sus peticiones. Saqué la cartera y le di un grueso fajo
de billetes.

– Llévenlo directamente al sanatorio Florida. Cuando lleguen pregunten por el doctor Cásares. Yo ya
habré hablado con él y todo estará arreglado. ¿Cuán-
tos son ustedes?

– Siete hermanos, mi mamá y …

– Toma esto para ustedes por lo que han gastado.
Si voy a pagar, debo pagarlo todo.

Le entregué el dinero que me habían dado esa
mañana por el asunto del Bledal, pero valió la pena,
porque él se agachó ligeramente y me miró como
yo quería.

Lo dejé alejarse, y cuando llegaba a la puerta lo
llamé.

– Manlio.

– Mande usted.

– Nada, puedes irte.

No entendía, evidentemente, pero mi tono y su
actitud me bastaban.

Cuando la puerta del despacho se cerró sin ruido
y me quedé solo, un extraño malestar, como una
náusea que se espera y que no llega, me descompuso
las entrañas y el pensamiento. El zumbido del clima
artificial hacía también un gran vacío alrededor.
Aquel despacho hermoso, amplio, con aquellos to-
ques secretos de buen gusto que yo disfrutaba más
porque nadie los notaba, permanecía mudo; era
también un miserable que tenía el aspecto que yo
quería y me devolvía la imagen de mí mismo que
yo le daba. Un lugar inútil.

– No volveré en toda la tarde – dije al salir.

Me sorprendió que afuera hiciera un calor tan in-

noch darum, mich großmütig zu erweisen, seiner Bitte weitherzig zu entsprechen. Ich nahm die Brieftasche heraus und gab ihm ein dickes Bündel Geldscheine.

«Bringt ihn unverzüglich in die Florida-Klinik. Erkundigt euch dort nach Doktor Cásares. Ich werde vorher mit ihm sprechen, und es wird bereits alles geregelt sein. Wie viele seid ihr?»

«Sieben Geschwister, Mama und …»

«Nimm das für eure bisherigen Auslagen. Wenn ich schon zahle, dann muss ich wohl alles übernehmen.»

Ich gab ihm das Geld, das ich an jenem Morgen für die Angelegenheit Bledal bekommen hatte, aber es lohnte sich, denn er verneigte sich leicht und schaute mich an, wie ich es mir wünschte.

Ich ließ ihn gehen; als er an der Tür war, rief ich ihn nochmals:

«Manlio.»

«Sie wünschen?»

«Nichts. Du kannst gehen.»

Er verstand offensichtlich nicht, aber mein Ton und sein Verhalten genügten mir.

Als die Bürotür sich lautlos schloss und ich allein war, überkam mich eine eigenartige Übelkeit – eine Art Brechreiz, den man kommen spürt, der dann aber doch nicht eintrifft, brachte meine Eingeweide und meine Gedanken durcheinander. Das Surren der Klimaanlage verbreitete eine große Leere um mich herum. Das schöne geräumige Büro mit den unauffälligen Tupfern guten Geschmacks, die ich umso mehr genoss, weil sie niemand wahrnahm, blieb stumm; es war genau so gemein wie ich und sah so aus, wie ich es wünschte; es warf mir mein Bild so zurück, wie ich es ihm aufgeprägt hatte. Ein nutzloser Raum.

«Ich bin den ganzen Nachmittag weg», sagte ich und ging. Es überraschte mich, wie unerträglich heiß es draußen

soportable y que el sol quisiera quemarme los ojos, pero ese aliento agostador es también un vino fuerte que embriaga y adormece las debilidades, y a mí suele regresar, en momentos difíciles, a mi órbita ardiente. Así pues, subí al coche y sin pensarlo enfilé hacia la calle Libertad. Abrí el zaguán y cuando llegué a la altura del cancel vi brillar al fondo, por entre las ranuras de las valencianas, el jardín cerrado. Pensé que era ese mismo deslumbramiento lo que luego hacía parecer laxos y serenos los corredores. Me gustaban los esbeltos arcos de piedra y el denso olor de la madreselva. Como entonces, me pareció que en cada rincón de aquella casa acechaba un pecado o un secreto.

– Maura, Maura – grité; y cuando comprendí que la vieja criada había salido, y que no sería molestado por nadie, el encanto dulce y misterioso de la casa me fue serenando.

Empujé la vidriera de la sala y entré. Aquella sala encalada y umbrosa era mi orgullo. Los tres espejos venecianos del siglo XVII, los pesados cortinajes que testimoniaban la ampulosidad retórica de los tiempos del abuelo; la gran cantidad de sillas austríacas y los veladores de seda desteñida, de mi abuela; las porcelanas y el piano de mi madre, eran míos, no podían servir a nadie más. Pasé el índice a la altura de mis ojos por el bisel de uno de los espejos alargados, y luego fui bajándolo hasta encontrar la altura de mis seis años. Entonces me pareció oír con claridad las notas del *Carnaval de Venecia* y revivió la angustia infantil de oírlo repetir por horas y horas; vi a mi madre reflejada en el espejo, con su largo vestido color miel y su cara absorta e inexpresiva. En el corredor, mi abuela vigilaba haciendo *frivolité*, acom-

war. Die Sonne brannte mir in die Augen; aber der brennend
heiße Hauch ist auch wie starker Wein, er benebelt und
lullt ein, und mich entführt er dann unter schwierigen Um-
ständen gern in die Zone schmerzhafter Entzündlichkeit. So
stieg ich also in den Wagen, und ohne es zu merken, bog ich
in Richtung Libertad-Straße ein. Ich öffnete das Eingangstor,
und als ich zum Windfang kam, sah ich durch die Spalten der
Jalousien im Hintergrund den umschlossenen Garten durch-
schimmern. Ich dachte, genau dieses Blenden habe auch die
Arkaden sanfter und heiterer erscheinen lassen. Mir gefielen
die schlanken Steinsäulen und der beherrschende Duft des
Geißblattes. Wie damals meinte ich, dass in jedem Winkel
des Hauses eine Sünde oder ein Geheimnis lauere.

«Maura, Maura», rief ich. Als ich feststellte, dass die alte
Magd ausgegangen war und ich von niemandem gestört würde, heiterte mich der angenehm zarte geheimnisvolle Zauber
des Hauses allmählich auf.

Ich öffnete die Glastür zum Wohnzimmer und trat ein. Der
getünchte schattige Raum war mein Stolz. Die drei veneziani-
schen Spiegel aus dem 17. Jahrhundert und die schweren
Vorhänge bezeugten die großspurige Redseligkeit von Groß-
vaters Zeit; die Vielzahl österreichischer Stühle und die Tisch-
lämpchen mit den ausgebleichten Seidenschirmen stammten
von der Großmutter; die Porzellanfiguren und das Klavier
meiner Mutter – das alles gehörte mir, niemand sonst konnte
es benutzen. Ich strich mit dem Zeigfinger von der Augen-
höhe längs der geschliffenen Kante eines der schmalen Spiegel so weit nach unten, wie ich als Sechsjähriger reichte. Da
meinte ich ganz klar die Klänge vom «Karneval in Venedig» zu hören, und aufs neue erwachte die kindliche Beklemmung, wenn ich die Melodie stunden- und stundenlang hörte;
ich sah im Spiegel meine Mutter in honigfarbenem langen
Kleid, sah ihr selbstvergessenes ausdrucksloses Gesicht. Unter
den Arkaden wachte meine Großmutter mit ihrer Frivolité-

pañando la música interminable con el interminable vaivén de su mecedora. Luego mi madre se levantaba del piano y yo me empequeñecía todavía más para que no me viera, porque cuando recordaba mi existencia se olvidaba del piano, lloraba todo el día, y por la noche … Cerré los ojos y traté de olvidar aquellas noches. Aparté el dedo del bisel.

Fui al piano y levanté lentamente la tapa sobre el teclado. Debo de haber hecho un movimiento torpe, porque mi mano cayó, y un acorde fuerte y luego una vibración llenaron el cuarto. Sin quererlo apreté los dientes y sentí mi lengua enorme y seca fuertemente pegada al paladar. Desde que ella tocó por última vez no había vuelto a salir un sonido de aquel instrumento. Me di cuenta de golpe de que siempre creí que el verdadero secreto estaba ahí, adentro, obstinadamente encubierto por la musiquilla del Carnaval. ¿Por qué ella esperó tanto tiempo? ¿Por qué cerró los ojos a mí, a todo, para no mirar más que su espera, ese hueco horrible en el vacío? ¿Por qué firmó aquellos papeles que lo hicieron rico mientras ella quedaba en la miseria? ¿Por qué se arrancó de la vida para poder amarlo más allá de la razón? Golpeé una y otra vez el teclado con el puño, ya no como si fuera el encubridor, sino el canalla mismo. Él debía saber. Inútilmente … Pero en el amor de mi madre no pudo haber nada turbio. Ella solamente tocaba el *Carnaval de Venecia*.

Debí obligar a mi abuela a contármelo todo. Mi abuela callada, manteniéndonos Dios sabe cómo, no era fácil de abordar en ese tema. Nadie, nunca, le preguntó nada. Pero conmigo era diferente, se trataba de la historia de mis padres. Sin embargo, a pesar de que cuando murió yo ya era un hombre,

Häkelei und begleitete die unaufhörliche Musik mit dem un-aufhörlichen Hin und Her ihres Schaukelstuhls. Endlich stand meine Mutter vom Klavier auf; ich machte mich noch kleiner, damit sie mich nicht sähe, denn wenn sie merkte, dass ich da war, vergaß sie das Klavier und weinte den ganzen Tag, und in der Nacht … Ich schloss die Augen und versuchte, jene Nächte zu vergessen. Ich nahm den Finger vom Spiegel weg.

Ich ging zum Klavier und hob langsam den Deckel. Ich muss eine ungeschickte Bewegung gemacht haben, meine Hand fiel auf die Tasten, und ein lauter Akkord mit langem Nachhall erfüllte den Raum. Ohne zu wollen, presste ich die Zähne aufeinander und spürte meine dicke trockene Zunge am Gaumen kleben. Seit meine Mutter zum letzten Mal gespielt hatte, war kein Ton mehr aus dem Instrument er-klungen. Plötzlich war mir klar, dass ich immer geglaubt hat-te, das eigentliche Geheimnis stecke da drinnen und werde hartnäckig von der Karnevalsmusik verhüllt. Warum hatte sie so lange zugewartet? Warum schloss sie die Augen vor mir, vor allem, um nichts sehen zu müssen außer ihrem Warten und Hoffen, dem fürchterlichen Loch in der Leere? Warum hatte sie die Papiere unterschrieben, die ihn reich machten und sie ins Elend brachten? Warum hatte sie sich vom Leben losgerissen, um ihn über alles vernünftige Maß zu lieben? Ich schlug eins über das andere Mal mit der Faust auf die Tasten, als wären sie nicht nur frevelhafte Mitwisser, sondern das Untier selbst. Sie mussten es gewusst haben. Nutzlos … Aber an der Liebe meiner Mutter konnte nichts Trübes sein. Sie spielte nur den «Karneval in Venedig»

Ich wollte meine Großmutter dazu bringen, mir alles zu erzählen. Meine Großmutter schwieg, brachte uns irgendwie durch, Gott weiß wie. Es war nicht leicht, mit diesem Thema an sie heranzukommen; niemand hat sie je etwas gefragt. Mit mir war es anders, es handelte sich um die Geschichte meiner Eltern. Trotzdem hat sie mir nichts gesagt, und ich

un abogado, nada me dijo. Se limitó a dejarme como herencia su casa, mi casa, la casa de mit madre, esta casa.

La mecedora del corredor ya no se mecía. Los largos años que pasamos solos, mi madre y yo, hasta que murió sin reconocerme, casi no contaban, estábamos hechos para ellos; lo que no se podía borrar era su juventud y mi infancia, la crueldad que había colmado nuestras vidas.

Ya no sentía la ola de pasión, no gozaba ya con la venganza; sereno como un juez salí de mi casa, subí al coche y tomé el camino de la Colonia Guadalupe. Mis hijos me esperaban siempre para hacer la tarea y Margarita se inquieta si me desvío mínimamente de mis rutinas.

Ni Cásares ni Palacios hicieron comentarios cuando pasé a verlos para arreglar lo del sanatorio.

Cuando Margarita habló del viaje que hacía todos los años a Guadalajara para que los niños no enfermaran por los calores, me limité a notificarle que tendría que retrasarlo debido a los fuertes gastos que me ocasionaba la enfermedad de Roberto Uribe. Ya sabía yo que no me preguntaría ni daría ninguna opinión; sin embargo, durante algunos días vigiló mi sueño y mis movimientos, pero al verme igual al que conocía desistió y me dejó tranquilo. La curiosidad seguramente la atormentó: ¿dónde?, ¿cuándo?, ¿por qué? Y también hubiera querido tener un pequeño papel – es discreta – en la representación; quizá en la soledad ensayaba conversaciones con tal o cual amiga, o pensaba en el vestido adecuado para visitar al enfermo. Pronto tuvo que dejar también estas fantasías, pues cuando llegaron al sanatorio le

war doch schon ein Mann, als sie starb, ein Rechtsanwalt. Sie beschränkte sich darauf, mir ihr Haus zu vererben, mein Haus, das Haus meiner Mutter, dieses Haus.

Der Schaukelstuhl schaukelte nicht mehr unter den Arkaden. Die langen Jahre, die ich allein mit meiner Mutter verlebte, bis sie mich nicht mehr erkannte und schließlich starb, zählten kaum mehr, wir gingen darin auf. Nicht auslöschen allerdings ließen sich ihre Jugend und meine Kindheit, die Grausamkeit, die unser Dasein belastete.

Ich spürte keine Leidenschaft mehr, erlabte mich nicht mehr an Rachegedanken. In heiterer Stimmung verließ ich mein Haus wie ein Richter, stieg in den Wagen und fuhr zur Colonia Guadalupe. Die Kinder warteten immer auf mich wegen der Hausaufgaben, und Margarita macht sich Sorgen, wenn ich nur um Haaresbreite vom Gewohnten abweiche.

Weder Cásares noch Palacios sagten etwas, als ich vorbeiging, um die Angelegenheit mit dem Klinikaufenthalt zu regeln.

Als Margarita von der Reise nach Guadalajara redete, wo sie jedes Jahr in der Zeit der großen Hitze mit den Kindern hinfuhr, um Krankheiten vorzubeugen, begnügte ich mich mit dem Hinweis, dieses Jahr müsse sie verschoben werden wegen der hohen Kosten, die mir die Krankheit von Roberto Uribe verursachte. Ich wusste schon, dass sie mich nichts fragen und auch keine Meinung äußern würde; trotzdem beobachtete sie in den nächsten Tagen meinen Schlaf und meine Bewegungen, aber da sie keine Veränderungen an mir feststellte, hörte sie auf damit und ließ mich in Ruhe. Die Neugier quälte sie aber bestimmt: wo? wann? warum? Sie hätte wohl auch gern eine kleine Rolle in der Vorstellung bekommen – sie ist klug und zurückhaltend – vielleicht probte sie schon Gespräche mit dieser oder jener Freundin, wenn sie allein war, oder überlegte sich, wie sie sich kleiden sollte, wenn sie den Kranken besuchte. Bald aber musste sie

dije claramente que no haría la menor entrada en el escenario, porque la mezcla, o más bien, la mezcolanza, llegaría nada más a mí, no debía tocarlos a ella ni a mis hijos. Comprendió del todo – es comprensiva – y creo que fuera de esos anuncios oficiales no se permitió agregar nada ante sus amigas, pero so sólo por el temor a que yo lo supiera, sino porque con toda seguridad así le parecía más rotundo y más noble mi personaje.

Cásares me llamó por teléfono y con algún cuidado me anunció que la enfermedad de Roberto Uribe era un cáncer incurable del que moriría muy pronto. También me dijo que el enfermo quería verme. Le di las gracias y no fui.

Durante esos días tuve que estar más severo que de costumbre: veía en todos, hasta en mis alumnos de Derecho Mercantil, una insana tendencia a mirarme con ternura.

Sin embargo, el 4 de junio, después de desayunar y de asistir con mi familia a la solemne misa de *requiem* en memoria de mi madre (en donde noté más amigos y conocidos que en los años anteriores), fui al sanatorio. Me habían avisado que Roberto Uribe se estaba muriendo y que pedía verme. No voy a hablar de la perturbación que similares llamamientos me habían ocasionado a lo largo de aquellas larguísimas semanas; solamente diré en mi descargo que había una circunstancia atenuante: no lo conocía, nunca lo había visto, y me inquietaba encontrarlo por primera vez frente a frente, casi muerto, como un fantasma de la desgracia que a mí me consumía. Tal vez pensaba que yo lo había perdonado, como si cosas así pudieran perdonarse. No quería verlo morir rodeado de hijos, le llantos, cuando mi madre ... No era justo.

auch von diesen Fantasien ablassen, denn als er in die Klinik eingeliefert wurde, sagte ich ihr klipp und klar, sie dürfe sich in keiner Weise einschalten, denn das Durcheinander, mehr noch, das Wirrsal betreffe nur mich allein und dürfe weder sie noch die Kinder berühren. Sie verstand genau – sie ist vernünftig – und ich glaube, außer diesen «offiziellen» Angaben sagte sie nichts zu ihren Freundinnen, und zwar nicht nur aus Furcht, ich könnte es erfahren, sondern in erster Linie, weil sie mich erst so als wertvoll und edel empfand.

Cásares rief mich an und eröffnete mir behutsam, Roberto Uribe leide an einem unheilbaren Krebsgeschwür und werde bald sterben. Er sagte mir auch, der Kranke wünsche mich zu sehen. Ich bedankte mich, ging aber nicht hin.

In diesen Tagen musste ich strenger sein als gewöhnlich: ich sah bei allen Leuten, auch bei meinen Schülern im Handelsrecht, einen ungesunden Hang, mich mitleidig und zärtlich anzuschauen.

Trotzdem: als ich am 4. Juni, wie in früheren Jahren, nach dem gemeinsamen Frühstück mit meiner Familie am feierlichen Trauergottesdienst zum Gedenken an meine Mutter teilgenommen hatte (es waren mehr Freunde und Bekannte da als sonst), ging ich in die Klinik. Ich war benachrichtigt worden, Roberto Uribe liege im Sterben und verlange nach mir. Ich will nicht darüber reden, wie vergleichbare Aufforderungen im Laufe der endlos langen letzten Wochen mich aufgewühlt hatten; ich will zu meiner Entlastung nur sagen, dass es einen mildernden Umstand gab: ich kannte ihn nicht, hatte ihn nie gesehen und war in Nöten, ihm kurz vor seinem Tod zum ersten Mal zu begegnen, ihm, der Verkörperung des Unglücks, das mich verzehrte, gegenüber zu stehen. Vielleicht dachte er, ich hätte ihm verziehen, als ob man so etwas je verzeihen könnte. Ich wollte ihn nicht im Kreise seiner weinenden Kinder sterben sehen, während meine Mutter … Es war ein Unrecht.

Pero fui, y oí los llantos y con un ademán acallé los clamores. Me dio repugnancia aquella tribu promiscua que acercaba niños chillones a los labios del moribundo. Los mandé salir de la habitación a todos, hijos, yernos, nueras, nietos, y también a la mujercilla envuelta en el rebozo. Quería conocerlo a solas, decirle a solas lo que tenía que decirle.

Sus ojos vidriosos me miraron primero con indiferencia y poco a poco, en un asombro, se fueron dando cuenta de que era yo el que estaba a los pies de la cama, y se endulzaron hasta ponerse húmedos.

– Hijo … hijo …

Yo me había preparado toda la vida para este encuentro, pero nunca, ni en los últimos días, pensé que podía encontrarme más que con un hombre, no con aquel miserable despojo.

– … tu santa madre desde el cielo …

¡Dios mío! Y por este cobarde que invocaba su nombre con unción falsa en el momento de la muerte, nos había perdido mi madre.

– Hijo … yo siempre quise verte …

Su voz aflautada, no sé si por la agonía o por la vejez, me traía ecos imposibles de relacionar: era necesario que hubiera tenido una hermosa voz, fuerte y rotunda, de la cual mi madre se sintiera enamorada, con la que la había convencido de que firmara y cuyo recuerdo ensordeciera en ella cualquiera otra voz, la mía. Este andrajo tenía que haber sido un verdadero hombre, capaz de orillarla y sumirme en mi orfandad monstruosa.

– … y ahora … quisiera saber … que me has perdonado.

Aber ich ging hin, hörte das Weinen und brachte die Klagen mit einer Geste zum Verstummen. Ich empfand die hergelaufene Horde, die dem Sterbenden plärrende Kinder an die Lippen hielt, widerwärtig und abstoßend. Ich schickte sie alle aus dem Zimmer: Söhne, Töchter, Schwiegersöhne, Schwiegertöchter, Enkelkinder und auch die in ihren Umhang gehüllte unscheinbare Frau. Ich wollte ihm allein gegenüber stehen, ihm alles sagen, was ich ihm zu sagen hatte.

Seine gläsernen Augen schauten mich zuerst unbeteiligt an, erst mit der Zeit merkten sie überrascht, dass ich es war, der am Fuß des Bettes stand, und wurden allmählich weich und feucht.

«Mein Sohn … mein Sohn …»

Ich hatte mich mein Leben lang auf diese Begegnung vorbereitet, aber nie, nicht einmal in den letzten Tagen hatte ich daran gedacht, dass ich mich nicht einem Mann gegenüber sehen würde, sondern nur einer jämmerlichen Hülle.

«… deine heilige Mutter, die vom Himmel aus …»

Mein Gott! Wegen diesem Feigling, der im Angesicht des Todes mit verlogener Inbrunst ihren Namen beschwor, hat uns meine Mutter zugrunde gerichtet.

«Mein Sohn … immer wollte ich dich sehen …»

Seine flötende Stimme – ob wegen der Todesnähe oder aus Altersgründen, weiß ich nicht – riefen in mir Erinnerungen wach, die ich nicht miteinander verbinden konnte: er hätte eine schöne, starke, runde Stimme haben sollen, in die sich meine Mutter hätte verlieben können, mit der er sie zur Unterschrift bewogen hatte, deren Nachhall in der Erinnerung jede andere Stimme übertönte, auch die meine. Dieser erbärmliche Lappen musste einmal ein richtiger Mann gewesen sein mit der Kraft, sie beiseite zu schieben und mich auf ungeheuerliche Weise zur Vaterlosigkeit zu verdammen.

«… und jetzt … möchte ich wissen … ob du mir verziehen hast.»

No le alcanzaban a aquel hombre las horas que le quedaban de vida para saber cómo y por qué yo *no podía* siquiera permitirme el consuelo de perdonarlo. «Mi madre murió vieja, llamándote, sin confesión, llamándote, loca, llamándote»... Iba a dercírselo cuando oí un pequeño ruido a mi lado y me encontré con los ojos suplicantes y amarillos de Manlio ...

– Sí, te he perdonado – dije, y quizá era verdad.

Pero cuando me habló Cásares al despacho para decirme que Roberto Uribe estaba muerto, yo ya había tenido tiempo de ir a mi casa, la de los espejos; ya sabía que no había hecho justicia, ya me mordía el rencor por haber dejado mi vida sin sentido, sin desenlace. Y traté de cumplir, por última vez.

Ordené los funerales como si hubieran sido en realidad de mi padre. Lo velamos en la casa de la calle Libertad, igual que a mi madre, sólo que esta vez con las ventanas y la puerta abiertas y sin una lágrima. Yo presidí el duelo.

Antes que el cadáver llegaron ellos, con sus niños y sus llantos. Los hice pasar a las habitaciones del fondo, las de los criados, y les dije bien claramente que no quería verlos aparecer ni siquiera por la cocina, y que al día siguiente les daría bastante dinero para que se fueran y no volvieran a verme nunca.

Le permití a Margarita ir a recibir condolencias de las ocho a las once des la noche. La probre estaba tan impresionada que no pudo disfrutar de su importancia, aunque también es cierto que no había tenido tiempo de componer bien su papel, pues no

Die Stunden, die ihm noch zu leben blieben, reichten nicht aus, ihn erfahren zu lassen, wie und warum ich mir nicht einmal den Trost gestatten konnte, ihm zu verzeihen. «Meine Mutter starb alt, rief nach dir, ohne Beichte, rief nach dir, von Sinnen, rief nach dir ...» Das wollte ich ihm sagen, als ich neben mir ein leises Geräusch vernahm und in Manlios flehende gelbe Augen schaute ...

«Ja, ich habe dir verziehen», sagte ich, und vielleicht stimmte das sogar.

Als Cásares mich im Büro anrief und mir mitteilte, Roberto Uribe sei gestorben, hatte ich schon Zeit gehabt, bei meinem Haus – dem Haus mit den Spiegeln – vorbeizugehen; ich wusste, dass ich keine Gerechtigkeit hatte walten lassen, das Gewissen plagte mich, weil ich versäumt hatte, meinem Leben einen Sinn zu geben, einen würdigen Abschluss. Ich versuchte nochmals meine Pflicht zu tun, zum letzten Mal.

Ich ordnete die Beerdigung an, als ob sie wirklich für meinen Vater wäre. Er wurde in der Libertad-Straße aufgebahrt, genau so wie meine Mutter, aber diesmal waren Türen und Fenster offen, und es wurde keine Träne vergossen. Ich war für die Totenwache zuständig.

Schon vor dem Leichnam waren sie alle da, mit ihren Kindern und ihrem Klagegeschrei. Ich schickte sie in die hinteren Zimmer im Dienstbotenteil und sagte ihnen klipp und klar, ich wolle sie im Haus nicht sehen, nicht einmal in der Küche. Am andern Tag bekämen sie dann genug Geld von mir, dass sie heimreisen könnten und sich nie mehr blicken lassen müssten.

Ich erlaubte Margarita, von acht bis elf Uhr abends Beileidsbesuche zu empfangen. Die Ärmste war so beeindruckt, dass sie ihre Wichtigkeit nicht einmal genießen konnte, obwohl ich immerhin einräumen muss, dass sie gar keine Zeit hatte, sich auf ihre Rolle vorzubereiten. Denn sie wusste

sabía casi nada de las circunstancias que rodeaban aquella muerte, y creo que el entrar por primera vez en aquella casa terminó con su seguridad. Durante las horas que estuvo junto al cadáver encabezó los rezos del rosario, habló entrecortadamente con las amigas que no cesaron de rodearla, y dejó caer una que otra elegante lágrima mientras me miraba con dulzura, dando a entender que lloraba por mí, o por mi dolor, más que por el muerto. Pero yo que la conozco bien veía que en el fondo de ella dominaba la inquietud, esperaba algo, la entrada de ellos, una balacera para disputar el cadáver, ¡qué se yo! Pero el tiempo de su representación terminó pacíficamente, y aunque no se quería marchar, con mi aire serio y melancólico pedí a un amigo que la llevara a casa y ella no tuvo más remedio que doblegarse, obediente, y salir con los ojos llenos de lágrimas, después de santiguarse ante el féretro, como correspondía.

Tuve esa noche la satisfacción de comprobar que había obrado de acuerdo con las reglas más entrañables de mi pueblo, porque todos, desde el gobernador hasta el jardinero, se prestaron gustosos a secundarme. Todos desfilaron para darme el pésame compungido y convencional.

Todos no. A la una de la mañana llegó Gabriela. Su presencia trajo un elemento con el que yo no había querido contar. Entró enlutada, seria, y sus ojos brillantes y directos me turbaron. Vino hacia mí y me abrazó como todos, pero en lugar del «lo siento» obligado, me dijo al oído, clara y pausadamente:

— Te felicito, Roberto, las cosas te han salido perfectas.

Se apartó, y con estudiada nuturalidad, haciendo

fast nichts über die Umstände im Zusammenhang mit diesem Todesfall, und ich glaube, es nahm ihr alle Selbstsicherheit, jenes Haus zum erstenmal zu betreten. In den Stunden, da sie beim Toten war, betete sie den Rosenkranz vor, wechselte zwischendurch ein paar Worte mit Freundinnen, die sie stets umlagerten, und ließ manchmal eine elegante Träne fallen, während sie mich liebevoll ansah und mir so zu verstehen gab, dass sie meinetwegen weinte, oder meines Schmerzes wegen, nicht eigentlich wegen des Toten. Aber ich kenne sie gut und sah, dass sie von Besorgnis beherrscht war, etwas erwartete, vielleicht, dass seine Familie hereinstürze und uns mit einer Schießerei den Leichnam streitig mache, was weiß ich! Aber die Zeit ihres Auftritts verlief friedlich; obwohl sie nicht weggehen wollte, beauftragte ich mit ernster Trauermiene einen Freund, Margarita nach Hause zu fahren; es blieb ihr keine andere Wahl, als sich zu fügen und mit Tränen in den Augen hinauszugehen, nachdem sie noch, wie es sich gehörte, vor dem Sarg das Kreuzzeichen gemacht hatte.

In dieser Nacht stellte ich mit Genugtuung fest, dass ich den tiefwurzelnden Regeln meines Volkes gemäß gehandelt hatte, denn allesamt, vom Regierungspräsidenten bis zum Gärtner, gewährten mir gutwillig ihre Unterstützung. Alle kamen vorbei, um mir, wie es Brauch ist, betrübt ihr Beileid zu bezeugen.

Nicht alle. Um ein Uhr nachts kam Gabriela. Ihre Gegenwart brachte eine zusätzliche Schwierigkeit, mit der ich nicht hatte rechnen wollen. Sie kam in Trauerkleidung, mit ernstem Gesicht, ihre glänzenden forschen Augen verwirrten mich. Sie trat zu mir und umarmte mich wie alle anderen, aber statt des üblichen «Mein Beileid» sagte sie mir langsam und deutlich ins Ohr:

«Meinen Glückwunsch, Roberto, es ist dir alles ausgezeichnet gelungen.»

Sie wandte sich ab, grüßte gekonnt natürlich einige Be-

pequeños saludos con la cabeza a los conocidos, entró en la sala. Sabía que yo la seguiría y la seguí. Tal vez por eso no había querido contar con ella y con lo que representaba: porque no podía dominarlos.

A la luz de un velador rosa se arreglaba los cabellos, mirándose en el mismo espejo en que yo miraba mi historia. Me dejó comtemplarla un rato en silencio y después se volvió lentamente, como para decir algo, pero prefirió callar y quedarse pegada al marco, como si acabara de salir del espejo, mirándome con una fiereza que en ese momento no comprendí. Creo que se dio cuenta de eso y de que su desafío no podría desarrollarse en ese terreno, entre otras cosas porque su ser, aunque capaz de sentirla, no armoniza con la violencia. En todo caso, si hubiera seguido en el tono del pésame aquello hubiera parecido más bien una venganza. No sé, tal vez todo esto lo pensé después, y quizá sean interpretaciones erróneas, pero están unidas por la luz despiadada que siento sobre mí ante la presencia de Gabriela. Lo cierto es que vi cómo su tensión cedía, cómo cambiaba de actitud y repasaba la sala lentamente, como en el recuerdo. Caminó unos pasos y acarició el piano. Llegué a temer que fuera a abrirlo, a hacerlo sonar, pero en lugar de eso dijo sin volverse:

– Me hubiera gustado vivir en esta casa.

De un fondo desconocido de mí subió una especie de sentimiento de culpa, y mi voz sonó apagada cuando le contesté:

– No era posible, lo sabes bien, mi madre estaba viva.

Entonces me miró de frente y comprendí que también a eso aludía, le hubiera gustado eso también, probar su amor de esa manera.

kannte mit einem Kopfnicken und betrat das Wohnzimmer. Sie wusste, dass ich ihr folgen würde, und ich folgte ihr. Vielleicht hatte ich deshalb nicht mit ihr rechnen wollen und mit dem, was sie verkörperte: ich fühlte mich machtlos.

Im rosa Schein eines Lämpchens strich sie sich die Haare zurecht und schaute sich dazu im gleichen Spiegel an, in dem ich meine Geschichte betrachtet hatte. Sie ließ mich eine Weile still zuschauen, dann drehte sie sich langsam um, so als wollte sie etwas sagen, aber sie fand es doch besser zu schweigen; sie lehnte am Spiegel, als sei sie soeben daraus herausgestiegen, schaute mich mit einer Wildheit an, die ich in diesem Augenblick nicht verstand. Ich glaube, sie merkte es und wurde sich bewusst, dass dieser Ort für ihren Angriff nicht geeignet war, unter anderem, weil Ungestüm zu ihrer Wesensart nicht passte, obwohl sie zu solchen Gefühlen durchaus fähig war. Wenn sie hingegen bei ihrem Beileidston geblieben wäre, hätte das auf jeden Fall eher wie Rache ausgesehen. Ich weiß nicht, vielleicht kamen mir solche Gedanken erst nachträglich, vielleicht war meine Auslegung falsch, aber die gehört zum erbarmungslos kalten Licht, das ich in Gabrielas Gegenwart auf mir spüre. Tatsache ist, dass ihre Spannung sich löste, ihre Haltung sich änderte und sie langsam den Raum durchschritt, als hinge sie Erinnerungen nach. Sie ging ein paar Schritte und strich über das Klavier. Ich fürchtete, sie würde es öffnen und zum Klingen bringen, stattdessen sagte sie, ohne sich umzudrehen:

«Ich hätte gerne in diesem Haus gewohnt.»

Aus unbekannter Tiefe stieg in mir eine Art Schuldgefühl auf, und meine Stimme klang dumpf, als ich sagte:

«Es war nicht möglich, du weißt es genau, meine Mutter lebte noch.»

Dann schaute sie mir geradewegs ins Gesicht, und ich begriff, dass auch sie darauf anspielte, damals hätte sie mir sehr gern ihre Liebe so bewiesen:

– Si me hubieras dejado que viniera a acompañarte
entonces …

A eso había venido. A decirme eso. A ver el desenlace, a presenciar el final de aquello que había des-
truido su esperanza de felicidad. Porque de pronto
vi claramente que si hacía dieciocho años yo había
dado por terminadas mis relaciones con Gabriela, no
había sido solamente por la hermosa razón de que
no quería encadenarla a mi destino sombrío, no; sino porque ella hubiera borrado las sombras y torcido
ese destino. Si hubiera vivido en esta casa, si unos hijos hubieran nacido en ella, si la locura de mi madre
hubiera dejado de ser el hecho solitario y único …
Si Gabriela me hubiera acompañado entonces no
hubiera permitido la soledad en que se ha incubado
todo esto: no estaríamos velando ese cadáver.

Y bien, era verdad, lo había perdido todo a cambio
de ser fiel, tal vez justo, y esto era el final. ¿Había
valido la pena?

¡Dios mío! No debió venir. Debió callar siempre,
dejarme siempre a solas. No se daba cuenta de que
ella también estaba haciendo justicia. Era necesario,
necesario, romper esa cadena. Iba a decírselo, pero
no esperaba mi respuesta: había vuelto a mirarse
en el espejo, y no fue a ella, sino a su imagen a la
que vi decirme:

– Bueno, pero ya qué importa.

En ese momento dio por terminada, ahora sí,
definitivamente, aquella relación que yo corté sin
consultarla hacía dieciocho años.

– Ahora me marcho. Sólo quería verte la cara,
Roberto Uribe *Rojo*.

Pronunció mi nombre con intención, al mismo
tiempo que se desprendía de él, de todo su signifi-

«Wenn du mir damals gestattet hättest, bei dir zu bleiben ...»

Deswegen war sie gekommen. Um mir das zu sagen. Um den Abschluss zu sehen, das Ende dessen mitzuerleben, was ihre Hoffnung auf Glück zerstört hatte. Denn plötzlich sah ich ganz klar, dass ich damals vor achtzehn Jahren mein Verhältnis mit Gabriela nicht nur wegen der schönen Begründung abgebrochen hatte, ich wolle sie nicht an mein düsteres Schicksal ketten, nein; sie hätte im Gegenteil die Schatten dieses Schicksals ausgemerzt, ihm eine andere Wendung gegeben. Wenn sie in diesem Haus gewohnt hätte, wenn hier Kinder geboren wären, wenn der Wahnsinn meiner Mutter nicht die einzige und alleinige Gegebenheit gewesen wäre ... Wenn ich Gabriela bei mir behalten hätte, dann wäre die Einsamkeit nicht möglich geworden, in der dieser Zustand ausgebrütet wurde: wir würden nicht bei dieser Leiche wachen.

Nun gut, es war so, ich hatte alles verloren im Tausch gegen die Überzeugung, treu geblieben zu sein, vielleicht gerecht, und das war nun das Ende. Hatte es sich gelohnt?

Mein Gott! Sie hätte nicht kommen sollen. Sie hätte für immer schweigen, mich für immer allein lassen sollen. Sie war sich nicht bewusst, dass auch sie Gericht hielt. Es war nötig, ja unumgänglich, diese Kette zu sprengen. Ich wollte es ihr sagen, aber sie wartete meine Antwort nicht ab; sie hatte sich schon wieder zum Spiegel gedreht, und ich sah, wie ich nicht zu ihr, sondern zu ihrem Bild sagte:

«Gut, aber was hat das jetzt noch zu bedeuten!»

In diesem Augenblick machte sie nun ihrerseits endgültig Schluss mit der Beziehung, die ich vor achtzehn Jahren, ohne mit ihr zu sprechen, abgebrochen hatte.

«Ich gehe jetzt. Ich wollte nur dein Gesicht sehen, Roberto Uribe Rojo.»

Sie sprach meinen Namen mit Bedacht aus, gleichzeitig löste sie sich davon und von allem, was er bedeutete. Rober-

cado. Roberto Uribe *Rojo*. Ahí estaba toda la historia, muerta, terminada. Ese nombre, esa historia, yo las había llevado sobre mí, a eso se reducía toda mi vida, y no era más que un cadáver: mi propio cadáver.

Y ahí me quedé, parado, en mitad de la sala, oyendo crujir y desmoronarse todo dentro y fuera de mí. Creí ver que los espejos estallaban. Mi alma y mi nombre no eran más que ceniza. Hacía tiempo que no eran míos, que no estaban vivos, que no eran nada. El sinsentido de cada una de mis acciones, de todas, de todas las caras, las de mis hijos inclusive … el sinsentido que yo les daba y al cual ahora no podía escapar. Lo había hecho todo para alimentar la locura y el odio y al final mi recompensa era un cadáver hipócritamente honrado. Me sentía caer en pedazos, que todo giraba deformándose con el movimiento hasta hacerse irreconocible, veía a los espejos multiplicarse y estrellarse …

Pero cuando el vértigo pasó, entonces supe de verdad lo que es la desesperanza. No había aire ni tiempo. Nada podía ya suceder.

No hay medida ni palabras para la confusión total.

Me senté en cualquier sitio y me quedé inmóvil, sabiendo que no me volvería a levantar.

Casi al amanecer vino Manlio.

– Licenciado … ahora que todos se fueron, ¿podría yo velar un ratito? Un momento nada más.

¡Oh, Manlio! Niño huérfano. Niño inocente, inocente …

– Toma las llaves de mi coche. Termina de velarlo tú. Entiérralo tú… Y llóralo.

to Uribe Rojo. Darin bestand die ganze Geschichte und war nun erledigt, fertig. Dieser Name, diese Geschichte hatten auf mir gelastet, daraus hatte mein ganzes Leben bestanden, und ich war nur noch ein Leichnam, mein eigener Leichnam.

Ich blieb mitten im Raum stehen, hörte in mir und um mich herum alles knarren und einstürzen. Ich glaubte die Spiegel zerspringen zu sehen. Meine Seele und mein Name waren nur noch Asche. Seit langem schon waren sie nicht mehr mein, lebten nicht mehr, waren zunichte. Die Sinnlosigkeit aller meiner Tätigkeiten, gar aller, aller Gesichter, auch der meiner Kinder … die Sinnlosigkeit, die ich ihnen mitgab und der ich nun nicht mehr entgehen konnte. Ich hatte alles getan, um meinen Wahn, meinen Hass zu schüren, und am Schluss war mein Lohn ein heuchlerisch ehrbarer Leichnam. Ich fühlte mich in Stücke brechen, alles drehte sich, alles verformte sich in der Drehung bis zur Unkenntlichkeit, ich sah die Spiegel sich vervielfachen und zerspringen …

Als der Taumel sich legte, wusste ich erst richtig, was Hoffnungslosigkeit war. Es gab keine Luft, keine Zeit. Nichts mehr konnte sich ereignen.

Es gibt kein Maß und keine Worte für die gänzliche Verwirrung.

Ich setzte mich irgendwo hin und regte mich nicht mehr, wusste, dass ich nicht mehr aufstehen würde.

Es war fast schon Morgen, als Manlio kam.

«Herr Lizentiat, jetzt da alle fort sind, … dürfte ich eine Weile beim Toten wachen? Nur ein Weilchen.»

Ach, Manlio! Vaterloser Junge. Unschuldiges, argloses Kind …

«Nimm die Schlüssel meines Wagens. Halte du die verbleibende Totenwache. Beerdige du ihn … Und beweine ihn.»

Carlos Fuentes
Chac Mool

Hace poco tiempo, Filiberto murió ahogado en Acapulco. Sucedió en Semana Santa. Aunque había sido
despedido de su empleo en la Secretaría, Filiberto no
pudo resistir la tentación burocrática de ir, como todos
los años, a la pensión alemana, comer el *choucrout*
endulzado por los sudores de la cocina tropical, bailar
el Sábado de Gloria en La Quebrada y sentirse «gente
conocida» en el oscuro anonimato vespertino de la
Playa des Hornos. Claro, sabíamos que en su juventud
había nadado bien; pero ahora, a los cuarenta, y tan
desmejorado como se le veía, ¡intentar salvar, a la
medianoche, el largo trecho entre Caleta y la isla de
la Roqueta! Frau Müller no permitió que se le velara,
a pesar de ser un cliente tan antiguo, en la pensión;
por el contrario, esa noche organizó un baile en la
terracita sofocada, mientras Filiberto esperaba, muy
pálido dentro de su caja, a que saliera el camión ma-
tutino de la terminal, y pasó acompañado de hua-
cales y fardos la primera noche de su nueva vida.
Cuando llegué, muy temprano, a vigilar el embarque
del féretro, Filiberto estaba bajo un túmulo de cocos:
el chófer dijo que lo acomodáramos rápidamente en
el toldo y lo cubriéramos con lonas, para que no se
espantaran los pasajeros, y a ver si no le habíamos
echado la sal al viaje.

Salimos de Acapulco a la hora de la brisa tempra-
nera. Hasta Tierra Colorada nacieron el calor y la luz.
Mientras desayunaba huevos y chorizo abrí el cartapacio de Filiberto, recogido el día anterior, junto con

Carlos Fuentes
Chac Mool

Filiberto ist vor kurzem in Acapulco ertrunken. Es war in der
Karwoche. Obwohl er seine Bürostelle verloren hatte, konnte
er der beamtenhaften Versuchung nicht widerstehen, die Feier-
tage wie jedes Jahr in der deutschen Pension zu verbringen,
dort das wegen der Hitze der Tropenküche süßlich schmek-
kende Sauerkraut zu essen, die ganze lange Osternacht in
« La Quebrada » zu tanzen und sich in der undurchdringlichen
Namenlosigkeit des abendlichen Strandes « Playa de Hornos »
als « bekannte Persönlichkeit » zu fühlen. Wir wussten wohl,
dass er in seiner Jugend ein guter Schwimmer gewesen war;
aber jetzt mit vierzig, zudem entkräftet – wie man sah –
die beträchtliche Strecke zwischen Caleta und der Insel La
Roqueta um Mitternacht durchschwimmen zu wollen! Frau
Müller erlaubte nicht, ihn in der Pension aufzubahren, obwohl
er ein so langjähriger Gast gewesen war; im Gegenteil: sie ver-
anstaltete einen Tanzabend auf der schwülen kleinen Terras-
se, derweil der bleiche Filiberto in seinem Sarg die erste Nacht
seines neuen Lebens auf der Busstation verbringen und zwischen Harassen und Warenbündeln den Frühkurs abwarten
musste. Als ich sehr zeitig eintraf, um das Verladen des Sarges
zu überwachen, lag Filiberto unter einem Berg Kokosnüssen:
der Fahrer meinte, wir sollten ihn möglichst rasch auf das Dach
hieven und mit Planen zudecken, sonst könnten die Reisenden
erschrecken; auch so schon versalze er uns möglicherweise die
Fahrt.

Um die Zeit der morgendlichen Brise fuhren wir in Acapulco ab. Bis wir in Tierra Colorada eintrafen, war es hell und
heiß geworden. In aß mein Frühstück – Eier und Wurst – und
öffnete währenddessen Filibertos Mappe, die ich am Vortag

sus otras pertenencias, en la pensión de los Müller. Doscientos pesos. Un periódico derogado de la ciudad de México. Cachos de lotería. El pasaje de ida – ¿sólo de ida? Y el cuaderno barato, de hojas cuadriculadas y tapas de papel mármol.

Me aventuré a leerlo, a pesar de las curvas, el hedor a vómito y cierto sentimiento natural de respeto por la vida privada de mi difunto amigo. Recordaría – sí, empezaba con eso – nuestra cotidiana labor en la oficina; quizá sabría, al fin, por qué fue declinando, olvidando sus deberes, por qué dictaba oficios sin sentido, ni número, ni «Sufragio Efectivo No Reelección». Por qué, en fin, fue corrido, olvidada la pensión, sin respetar los escalafones.

«Hoy fui a arreglar lo de mi pensión. El licenciado, amabilísmo. Salí tan contento que decidí gastar cinco pesos en un café. Es el mismo al que íbamos de jóvenes y al que ahora nunca concurro, porque me recuerda que a los veinte años podía darme más lujos que a los cuarenta. Entonces todos estábamos en un mismo plano, hubiéramos rechazado con energía cualquier opinión peyorativa hacia los compañeros; de hecho, librábamos la batalla por aquellos a quienes en la casa discutían por su baja extracción o falta de elegancia. Yo sabía que muchos de ellos (quizá los más humildes) llegarían muy alto y aquí, en la Escuela, se iban a forjar las amistades duraderas en cuya compañía cursaríamos el mar bravío. No, no fue así. No hubo reglas. Muchos de los humildes se quedaron allí, muchos llegaron más arriba de lo que pudimos pronosticar en aquellas fogosas, amables ter-

zusammen mit seinen anderen Habseligkeiten aus der Pension Müller mitgenommen hatte: Zweihundert Pesos, eine alte Zeitung von Mexiko-Stadt. Lotterielose, die Buskarte für die Hinfahrt (nur für die Hinfahrt?), das billige karierte Heft mit dem marmorierten Umschlag.

Ich nahm mir die Freiheit, darin zu lesen – trotz den Kurven, dem Geruch nach Erbrochenem und einer natürlichen Scheu vor dem Privatleben meines verstorbenen Freundes. Gewiss schrieb er über unsere alltägliche Arbeit im Büro – jawohl, damit fing er an – vielleicht erfuhr ich nun doch noch, warum er sich immer mehr gehen ließ, seine Pflichten vernachlässigte, Schriftstücke ohne Sinn diktierte, ohne Nummer, ohne Vermerk «Tatsächliches Wahlrecht Keine Wiederwahl». Warum er schließlich entlassen wurde – ohne Rente, ohne Berücksichtigung seines Dienstalters.

«Heute habe ich die Angelegenheit mit meiner Rente in Ordnung gebracht. Der Lizentiat war ausnehmend liebenswürdig. Ich kam so befriedigt heraus, dass ich beschloss, fünf Pesos in einem Café springen zu lassen. Im selben, wo wir als junge Leute oft gewesen waren und wo ich heute nie mehr hingehe, denn es erinnert mich daran, dass ich mir damals mit zwanzig mehr leisten konnte als heute mit vierzig. Damals fühlten wir uns alle gleichrangig und hätten entschieden jede abschätzige Bemerkung über unsere Kameraden zurückgewiesen; tatkräftig setzten wir uns für alle ein, über die im Institut dahergeredet wurde, weil sie aus einfachen Verhältnissen stammten oder weniger elegant gekleidet waren. Ich wusste, dass viele von ihnen (vielleicht die Ärmsten) es weit bringen würden und dass sich hier in der Fakultät die dauerhaften Freundschaften knüpften, mit deren Hilfe wir das stürmische Meer befahren würden. Nein, es kam nicht so. Es gab keine Regeln. Viele der Armen blieben arm, viele brachten es weiter, als wir bei unseren heiter temperamentvollen Stammtischtreffen

tulias. Otros, que parecíamos prometerlo todo, nos quedamos a la mitad del camino, destripados en un examen extracurricular, aislados por una zanja invisible de los que triunfaron y de los que nada alcanzaron. En fin, hoy volví a sentarme en las sillas modernizadas – también hay, como barricada de una invasión, una fuente de sodas – y pretendí leer expedientes: Vi a muchos antiguos compañeros, cambiados, amnésicos, retocados de luz neón, prósperos. Con el café que casi no reconocía, con la ciudad misma, habían ido cincelándose a ritmo distinto del mío. No, ya no me reconocían; o no me querían reconocer. A lo sumo – uno o dos – una mano gorda y rápida sobre el hombro. Adiós viejo, qué tal. Entre ellos y yo mediaban los dieciocho agujeros del Country Club. Me disfracé detrás de los expedientes. Desfilaron en mi memoria los años de las grandes ilusiones, de los pronósticos felices y, también, todas les omisiones que impidieron su realización. Sentí la angustia de no poder meter los dedos en el pasado y pegar los trozos de algún rompecabezas abandonado; pero el arcón de los juguetes se va olvidando y, al cabo, ¿quién sabrá dónde fueron a dar los soldados de plomo, los cascos, las espadas de madera? Los disfraces tan queridos, no fueron más que eso. Y sin embargo, había habido constancia, disciplina, apego al deber. ¿No era suficiente, o sobraba? En ocasiones me asaltaba el recuerdo de Rilke. La gran recompensa de la aventura de juventud debe ser la muerte; jóvenes, debemos partir con todos nuestros secretos. Hoy, no tendría que volver la mirada a las ciudades de sal. ¿Cinco pesos? Dos de propina.»

hätten ahnen können. Andere schienen wie ich alles zu versprechen und sind dann auf der Strecke geblieben, in einer außerschulischen Prüfung durchgefallen. Ein unsichtbarer Graben trennte die, die es geschafft, von denen, die nichts erreicht hatten. Nun also, heute habe ich mich wieder einmal auf einen der modernisierten Stühle gesetzt – es gibt jetzt auch einen Limonadenausschank wie die Barrikade eines Überfallstrupps – und tat so, als läse ich Akten. Ich sah viele ehemalige Mitstudenten: sie waren verändert, hatten das Gedächtnis verloren, Neonlicht bestrahlte ihre Gesichter, sie sahen wohlhabend aus. Zusammen mit dem Café, das ich kaum wieder erkannt hatte, ja mit der ganzen Stadt, waren sie in anderer Weise gemeisselt worden als ich. Nein, sie erkannten mich nicht, vielleicht wollten sie mich nicht mehr kennen. Nur einer, zwei legten mir rasch eine dicke Hand auf die Schulter: Grüß dich, alter Junge, wie geht's? Zwischen ihnen und mir lagen die achtzehn Löcher des Country Clubs. Ich verschanzte mich hinter meinen Akten. In Gedanken ließ ich die Jahre der großen Wunschträume vorüberziehen, der glücklichen Verheißungen, aber auch alle Versäumnisse, die deren Verwirklichung verhindert hatte. Ich spürte die Beklemmung, nun nicht mehr in die Vergangenheit eingreifen zu können, um die Teile eines aufgegebenen Puzzles doch noch zusammen zu fügen; aber die Spielzeugtruhe gerät in Vergessenheit, und wer weiß am Ende noch, wo alle die Bleisoldaten, Helme und Holzschwerter geblieben sind? Die so geliebten Verkleidungen! Denn mehr als das waren sie ja nicht gewesen. Und doch hatte es auch Ausdauer, Unterordnung, Pflichterfüllung gegeben. War es nicht genug? oder zu viel? Gelegentlich kam mir Rilke in den Sinn: Die große Entschädigung für das Abenteuer Jugend muss wohl der Tod sein; jung sollten wir mit allen unseren Geheimnissen abtreten. Heute müsste ich den Blick nicht zu den Salzstädten zurück wenden. Fünf Pesos? Zwei als Trinkgeld.»

«Pepe, aparte de su pasión por el derecho mercantil, gusta de teorizar. Me vio salir de Catedral, y juntos nos encaminamos a Palacio. El es descreído, pero no le basta; en media cuadra tuvo que fabricar una teoría. Que si yo no fuera mexicano, no adoraría a Cristo y – No, mira, parece evidente. Llegan los españoles y te proponen adorar a un Dios muerto hecho un coágulo, con el costado herido, clavado en una cruz. Sacrificado. Ofrendado ¿Qué cosa más natural que aceptar un sentimiento tan cercano a todo tu ceremonial, a toda tu vida?... Figúrate, en cambio, que México hubiera sido conquistado por budistas o por mahometanos. No es concebible que nuestros indios veneraran a un individuo que murió de indigestión. Pero un Dios al que no le basta que se sacrifiquen por él, sino que incluso va a que le arranquen el corazón, ¡caramba, jaque mate a Huitzilopochtli! El cristianismo, en su sentido cálido, sangriento, de sacrificio y liturgia, se vuelve una prolongación natural y novedosa de la religión indígena. Los aspectos caridad, amor y la otra mejilla, en cambio, son rechazados. Y todo en México es eso: hay que matar a los hombres para poder creer en ellos.

«Pepe conocía mi afición, desde joven, por ciertas formas del arte indígena mexicano. Yo colecciono estatuillas, ídolos, cacharros. Mis fines de semana los paso en Tlaxcala o en Teotihuacán. Acaso por esto le guste relacionar todas las teorías que elabora para mi consumo con estos temas. Por cierto que busco una réplica razonable del Chac Mool desde hace tiempo, y hoy Pepe me informa de un lugar en la Lagunilla donde venden uno de piedra y parece que barato. Voy a ir el domingo.

«Abgesehen von seiner Leidenschaft für Handelsrecht hat Pepe auch einen Hang zum Theoretisieren. Er sah mich der Kirche den Rücken kehren, und wir gingen mit einander zum Staat. Er glaubt nicht an Gott, aber das genügt ihm nicht; mitten auf der Straße musste er eine Theorie aufstellen: Wenn ich nicht Mexikaner wäre, würde ich Christus nicht anbeten und – nein, schau, es liegt doch auf der Hand. Da kommen die Spanier und stellen dir einen toten Gott zum Anbeten hin, blutüberströmt und mit einer Seitenwunde ist er ans Kreuz genagelt. Hingeschlachtet. Als Opfer dargebracht. Was ist natürlicher, als eine Gefühlswelt anzunehmen, die deinem eigenen Zeremoniell, deinem ganzen Lebensinhalt so ähnlich ist?... Stell dir vor, Mexiko wäre stattdessen von Buddhisten oder Moslems erobert worden! Es ist unvorstellbar, dass unsere Indios jemanden verehren könnten, der an einer Verdauungsstörung gestorben ist. Aber ein Gott, dem es nicht genügt, dass man sich für ihn opfert, sondern der selbst hingeht und sich das Herz herausreissen lässt – Donnerwetter, Schachmatt dem Huitzilopochtli! Das Christentum in seiner ursprünglichen heißen Opferliturgie wird zur natürlichen neuartigen Fortsetzung unserer angestammten Religion. Die Bestandteile Barmherzigkeit, Liebe, die andere Wange werden hingegen abgelehnt. Und so ist alles in Mexiko: man muss die Menschen umbringen, um an sie glauben zu können.

Pepe wusste, dass ich schon seit der Schulzeit eine Vorliebe für gewisse Arten einheimischer Kunst habe. Ich sammele Statuetten, Götterfiguren, Tongefäße. Die Wochenenden verbringe ich in Tlaxcala oder in Teotihuacán. Vielleicht verbindet er darum die Theorien, die er für meinen Gebrauch ausarbeitet, besonders gern mit solchen Themen. In der Tat suche ich seit langem einen annehmbaren Abguss einer Chac-Mool-Figur, und heute berichtet mir Pepe von einem Ort in der Lagunilla, wo eine aus Stein zu verkaufen ist, und sogar zu einem günstigen Preis. Ich werde am Sonntag hinfahren.

«Un guasón pintó de rojo el agua del garrafón en la oficina, con la consiguiente perturbación de las labores. He debido consignarlo al Director, a quien sólo le dio mucha risa. El culpable se ha valido de esta circunstancia para hacer sarcasmos a mis costillas el día entero, todos en torno al agua. Ch...»

«Hoy domingo, aproveché para ir a la Lagunilla. Encontré el Chac Mool en la tienducha que me señaló Pepe. Es una pieza preciosa, de tamaño natural, y aunque el marchante asegura su originalidad, lo dudo. La piedra es corriente, pero ello no aminora la elegancia de la postura o lo macizo del bloque. El desleal vendedor le ha embarrado salsa de tomate en la barriga al ídolo para convencer a los turistas de la sangrienta autenticidad de la escultura.

«El traslado a la casa me costó más que la adquisición. Pero ya está aquí, por el momento en el sótano mientras reorganizo mi cuarto de trofeos a fin de darle cabida. Estas figuras necesitan sol vertical y fogoso; ese fue su elemento y condición. Pierde mucho mi Chac Mool en la oscuridad del sótano; allí, es un simple bulto agónico, y su mueca parece reprocharme que le niegue la luz. El comerciante tenía un foco que iluminaba verticalmente a la escultura, recortando todas sus aristas y dándole una expresión más amable. Habrá que seguir su ejemplo.»

«Amanecí con la tubería descompuesta. Incauto, dejé correr el agua de la cocina y se desbordó, corrió por el piso y llegó hasta el sótano, sin que me percatara. El Chac Mool resiste la humedad, pero mis maletas sufrieron. Todo

Ein Spaßvogel hat das Wasser der Karaffe in unserem Büro rot gefärbt und damit die Arbeitsabläufe gestört. Ich musste es dem Direktor melden, aber der hat nur laut darüber gelacht. Der Schuldige hat die Gelegenheit wahrgenommen, um hinter meinem Rücken den ganzen Tag hämische Witze zu machen, alle mit Anspielungen auf das Wasser. Sch...»

«Heute habe ich den Sonntag dazu benutzt, in die Lagunilla zu fahren. Ich habe den Chac Mool in dem schäbigen kleinen Laden gefunden, den mir Pepe angegeben hat. Es ist ein gediegenes Stück in Originalgröße; der Händler versichert, es sei echt, aber ich bezweifele es. Der Stein ist ganz gewöhnlich, doch das mindert weder die Eleganz der Haltung noch die Geschlossenheit des Blocks. Der Gauner von Händler hat der Götterfigur Tomatensauce auf den Bauch gegossen, um die Touristen von der blutigen Echtheit der Statue zu überzeugen.

Der Transport nach Hause kostete mehr, als ich für die Figur bezahlt hatte. Aber nun ist sie hier, steht vorläufig im Keller, bis ich das Zimmer mit meinen Sammlungen so aufgeräumt habe, dass sie Platz hat darin. Diese Statuen brauchen senkrecht herabbrennende Sonne; dafür waren sie geschaffen, das war die Bedingung für ihre Wirksamkeit. Mein Chac Mool büßt viel ein im dunklen Keller; da ist er nur eine verkümmernde Masse, und seine Fratze scheint mir vorzuwerfen, dass ich ihm das Licht verweigere. Der Händler hatte einen Scheinwerfer, der die Skulptur senkrecht von oben beleuchtete, ihre Kanten und Rundungen ausprägte und ihr einen freundlicheren Ausdruck gab. Ich werde seinem Beispiel folgen müssen.»

«Als ich heute morgen aufwachte, war das Ablaufrohr beschädigt. Unvorsichtigerweise hatte ich das Wasser in der Küche laufen lassen, nun floss es über den Fußboden und war bis in den Keller gedrungen, ohne dass ich es gemerkt hatte. Der Chac Mool hält die Feuchtigkeit aus, aber meine Koffer haben

esto, en día de labores, me obligó a llegar tarde a la oficina.»

«Vinieron, por fin, a arreglar la tubería. Las maletas, torcidas. Y el Chac Mool, con lama en la base.»

«Desperté a la una: había escuchado un quejido terrible. Pensé en ladrones. Pura imaginación.»

«Los lamentos nocturnos han seguido. No sé a qué atribuirlo, pero estoy nervioso. Para colmo de males, la tubería volvió a descomponerse, y las lluvias se han colado, inundando el sótano.»

«El plomero no viene; estoy desesperado. Del Departamento del Distrito Federal, más vale no hablar. Es la primera vez que el agua de las lluvias no obedece a las coladeras y viene a dar a mi sótano. Los quejidos han cesado: vaya una cosa por otra.»

«Secaron el sótano, y el Chac Mool está cubierto de lama. Le da un aspecto grotesco, porque toda la masa de la escultura parece padecer de una erisipela verde, salvo los ojos, que han permanecido de piedra. Voy a aprovechar el domingo para raspar el musgo. Pepe me ha recomendado cambiarme a una casa de apartamentos, y tomar el piso más alto, para evitar estas tragedias acuáticas. Pero yo no puedo dejar este caserón, ciertamente muy grande para mí solo, un poco lúgubre en su arquitectura porfiriana. Pero que es la única herencia y recuerdo de mis padres. No sé qué me daría ver una fuente de sodas con sinfonola en el sótano y una tienda de decoración en la planta baja.»

gelitten. Das alles an einem Arbeitstag hatte zur Folge, dass ich zu spät ins Büro kam.»

«Endlich wurden die Rohre geflickt. Die Koffer sind ganz verzogen. Und der Sockel des Chac Mool steht im Schlamm.»

«Um ein Uhr wachte ich auf: ich hatte ein schreckliches Stöhnen vernommen. Ich dachte an Diebe. Bloß Einbildung.»

«Das nächtliche Wehklagen geht weiter. Ich weiß nicht, was es damit auf sich hat, aber ich bin beunruhigt. Als Gipfel des Übels sind die Rohre schon wieder geplatzt, und der Regen hat den Keller überschwemmt.»

«Der Klempner kommt nicht; ich bin verzweifelt. Vom städtischen Wasserwerk redet man besser nicht: zum ersten Mal fließt das Regenwasser nicht in die Abwasserschächte, sondern in meinen Keller. Das Stöhnen und Wehklagen hat aufgehört; wenigstens etwas.»

«Der Keller ist wieder trocken gelegt, aber der Chac Mool ist voll Schlamm. Das gibt ihm ein sonderbares Aussehen; die ganze Oberfläche der Skulptur ist wie von einem grünen Ausschlag befallen, nur die Augen sind nach wie vor steinern. Ich werde den Sonntag damit verbringen, den Belag abzuschaben. Pepe hat mir geraten, in die oberste Wohnung eines Mietshauses umzuziehen, um weiteres Ungemach mit dem Wasser zu vermeiden. Aber ich kann dieses alte Haus nicht verlassen, obwohl es für mich allein zu groß ist und in seiner Architektur aus Porfirio Díaz' Zeiten sehr düster wirkt. Ich habe sonst nichts von meinen Eltern geerbt, es ist mein einziges Andenken an sie. Ich weiß nicht, ob ich einen Limonadenausschank mit Musikautomat im Keller und ein Einrichtungsgeschäft im Erdgeschoss aushalten könnte.»

«Fui a raspar el musgo del Chac Mool con una es-
pátula. Parecía ser ya parte de la piedra; fue labor
de más de una hora, y sólo a las seis de la tarde
pude terminar. No se distinguía muy bien en la
penumbra; al finalizar el trabajo, seguí con la
mano los contornos de la piedra. Cada vez que lo
repasaba, el bloque parecía reblandecerse. No quise
creerlo: era ya casi una pasta. Este mercader de la
Lagunilla me ha timado. Su escultura precolom-
bina es puro yeso, y la humedad acabará por arrui-
narla. Le he echado encima unos trapos; mañana
la pasaré a la pieza de arriba, antes de que sufra
un deterioro total.»

«Los trapos han caído al suelo. Increíble. Volví
a palpar al Chac Mool. Se ha endurecido pero no
vuelve a la consistencia de la piedra. No quiero
escribirlo: hay en el torso algo de la textura de la
carne, al apretar los brazos los siento de goma,
siento que algo circula por esa figura recostada …
Volví a bajar en la noche. No cabe duda: el Chac
Mool tiene vello en los brazos.»

«Esto nunca me había sucedido. Tergiversé los
asuntos en la oficina, giré una orden de pago
que no estaba autorizada, y el Director tuvo
que llamarme la atención. Quizá me mostré
hasta descortés con los compañeros. Tendré que
ver a un médico, saber si es imaginación o deli-
rio o qué, y deshacerme de ese maldito Chac
Mool.»

Hasta aquí la escritura de Filiberto era la antigua, la que tantas veces vi en formas y memo-

«Mit einem Spatel schabte ich den Belag auf dem Chac Mool ab. Er schien schon Bestandteil des Steins geworden zu sein; ich brauchte mehr als eine Stunde und wurde erst um sechs Uhr nachmittags fertig. Im Halbdunkel konnte ich nicht genau sehen, darum tastete ich mit der Hand die Oberfläche ab, als die Arbeit beendet war. Jedesmal wenn ich über den Block strich, schien er nachzugeben. Ich wollte es nicht glauben: der Stein war schon so weich wie eine Paste. Der Händler in der Lagunilla hat mir ein X für ein U vorgemacht. Seine präkolumbische Skulptur ist bloß aus Gips, und in der Feuchtigkeit wird sie mit der Zeit zerfallen. Ich habe ein paar Tücher drauf gelegt; morgen werde ich sie in den oberen Stock hinauf tragen, damit sie nicht noch mehr Schaden leidet.»

«Die Tücher sind auf den Boden gefallen. Unglaublich. Wieder habe ich den Chac Mool betastet. Er ist härter geworden, aber er hat nicht die Beschaffenheit von Stein. Ich mag es gar nicht niederschreiben: sein Rumpf wirkt irgendwie fleischlich; wenn ich die Arme drücke, fühlen sie sich wie Gummi an. Ich spüre, dass in dieser liegenden Gestalt etwas pulsiert … Bei Nacht bin ich nochmals hinunter gegangen. Kein Zweifel: der Chac Mool hat Flaum auf den Armen.»

«So etwas ist mir noch nie unterlaufen. Ich habe im Büro alle möglichen Geschäfte durcheinander gebracht. Ich habe einen nicht genehmigten Zahlungsauftrag erteilt, und der Direktor musste mich zur Sorgfalt mahnen. Vielleicht habe ich mich auch meinen Mitarbeitern gegenüber ungehörig benommen. Ich muss zu einem Arzt gehen, muss wissen, ob es Einbildung oder Wahnvorstellung oder sonst etwas ist, muss mir diesen verfluchten Chac Mool vom Hals schaffen.»

Bis hierher war Filibertos Schrift die altvertraute, die ich so oft auf Notizblättern und Mitteilungen gesehen hatte: aus-

randa, ancha y ovalada. La entrada del 25 de agosto, sin embargo, parecía escrita por otra persona. A veces como niño, separando trabajosamente cada letra; otras, nerviosa, haste diluirse en lo ininteligible. Hay tres días vacíos, y el relato continúa:

«Todo es tan natural; y luego se cree en lo real ... pero esto lo es, más que lo creído por mí. Si es real un garrafón, y más, porque nos damos mejor cuenta de su existencia, o estar, si un bromista pinta el agua de rojo ... Real bocanada de cigarro efímera, real imagen monstruosa en un espejo de circo, reales, ¿no lo son todos los muertos, presentes y olvidados?... Si un hombre atravesara el Paraíso en un sueño, y le dieran una flor como prueba de que había estado allí, y si al despertar encontrara esa flor en su mano ... ¿entonces, qué? ... Realidad: cierto día la quebraron en mil pedazos, la cabeza fue a dar allá, la cola aquí y nosotros no conocemos más que uno de los trozos desprendidos de su gran cuerpo. Océano libre y ficticio, sólo real cuando se le aprisiona en el rumor de un caracol marino. Hasta hace tres días, mi realidad lo era al grado de haberse borrado hoy; era movimiento reflejo, rutina, memoria, cartapacio. Y luego, como la tierra que un día tiembla para que recordemos su poder, o como la muerte que un día llegará, recriminando mi olvido de toda la vida, se presenta otra realidad: sabíamos que estaba allí, mostrenca; ahora nos sacude para hacerse viva y presente. Pensé, nuevamente, que era pura imaginación: el Chac Mool, blando y elegante, había cambiado de color en una noche; amarillo, casi dorado, parecía indicarme que era un dios, por ahora laxo, con las

ladende gerundete Buchstaben. Der Eintrag vom 25. August schien hingegen von anderer Hand geschrieben. Stellenweise sah es nach Kinderschrift aus – jeder Buchstabe ungelenk vom andern getrennt – dann wieder hastig hingeworfen und kaum noch leserlich. Drei Tage bleiben leer, dann geht der Bericht weiter.

«Alles ist so natürlich, und dann glaubt man daran ... aber das ist das Wirkliche, mehr als das von mir Geglaubte. Ein Wasserkrug ist etwas Wirkliches, und zwar um so mehr, wenn wir sein tatsächliches Vorhandensein feststellen, weil ein Spaßvogel das Wasser rot färbt ... Etwas Wirkliches ist der flüchtige Zug an einer Zigarette, das entstellte Bild in einem Zerrspiegel ... Sind es nicht auch alle Toten, die jetzigen und die längst vergessenen? ... Wenn jemand im Traum durch das Paradies spazieren würde und zum Beweis dafür, dass er dort gewesen ist, eine Blume gereicht bekäme, und beim Erwachen hielte er die Blume in der Hand ... was dann?... Wirklichkeit: eines Tages wurde sie in tausend Stücke geschlagen, der Kopf fiel dorthin, der Schwanz hierhin, wir kennen nur einzelne abgebrochene Teilchen ihres großen Leibes. Der freie erahnte Ozean wird erst wirklich, wenn er im Rauschen einer Meerschnecke eingefangen ist. Bis vor drei Tagen war meine Wirklichkeit im gleichen Maße vorhanden, wie sie heute ausgelöscht ist; sie bestand aus eingespielten Bewegungen, gewohnheitsmäßigen Abläufen, Erinnerungen, Aktendeckeln. Und dann, wie die Erde eines Tages bebt, um uns an ihre Macht zu erinnern, oder wie der Tod kommt und einem vorwirft, dass man sich sein Leben lang nicht um ihn gekümmert habe, zeigt sich eine andere Wirklichkeit: wir wussten, dass sie da war und heimatlos herumirrte, nun schüttelt sie uns, will lebendig und gegenwärtig werden. Wieder meinte ich, es sei bloße Einbildung: der weiche, wohlgeformte Chac Mool hatte über Nacht die Farbe gewechselt; gelb, fast golden, schien er mir bedeuten zu wollen, er sei ein Gott; er sah jetzt entspannt

rodillas menos tensas que antes, con la sonrisa más benévola. Y ayer, por fin, un despertar sobresaltado, con esa seguridad espantosa de que hay dos respiraciones en la noche, de que en la oscuridad laten más pulsos que el propio. Sí, se escuchaban pasos en la escalera. Pesadilla. Vuelta a dormir … No sé cuánto tiempo pretendí dormir. Cuando volví a abrir los ojos, aún no amanecía. El cuarto olía a horror, a incienso y sangre. Con la mirada negra, recorrí la recámara, hasta detenerme en dos orificios de luz parpadeante, en dos flámulas crueles y amarillas.

«Casi sin aliento, encendí la luz.

«Allí estaba Chac Mool, erguido, sonriente, ocre, con su barriga encarnada. Me paralizaban los dos ojillos, casi bizcos, muy pegados al caballete de la nariz triangular. Los dientes inferiores mordían el labio superior, inmóviles; sólo el brillo del casquetón cuadrado sobre la cabeza anormalmente voluminosa, delataba vida. Chac Mool avanzó hacia mi cama; entonces empezó a llover.»

Recuerdo que a fines de agosto, Filiberto fue despedido de la Secretaría, con una recriminación pública del Director y rumores de locura y hasta de robo. Esto no lo creí. Sí pude ver unos oficios descabellados, preguntándole al Oficial Mayor si el agua podía olerse, ofreciendo sus servicios al Secretario de Recursos Hidráulicos para hacer llover en el desierto. No supe qué explicación darme a mí mismo; pensé que las lluvias, excepcionalmente fuertes, de ese verano, habían enervado a mi amigo. O que alguna depresión moral debía producir la vida en aquel caserón antiguo, con la mitad de los cuartos bajo llave y em-

aus, seine Knie waren weniger steif als bisher, und sein Lächeln wirkte wohlwollender. Gestern schließlich ein Aufschrecken aus dem Schlaf mit der grausigen Gewissheit, es atmeten zwei Wesen in der Nacht, es schlage außer meinem eigenen Puls noch einer in der Dunkelheit. Ja, man hörte Schritte auf der Treppe. Albtraum. Umdrehen und einschlafen ... Ich weiß nicht, wie lange ich es versucht habe. Als ich die Augen wieder aufschlug, war es immer noch Nacht. Das Zimmer roch nach Grauen, Weihrauch und Blut. In der Schwärze suchten meine Augen die Schlafkammer ab, bis sie auf zwei hellen, flackernden Löchern haften blieben, zwei grausamen gelben Flämmchen.

Der Atem stockte mir, als ich das Licht anknipste.

Da stand der Chac Mool hoch aufgerichtet vor mir, lächelnd, ockerfarben, mit blutrotem Bauch. Ich war gelähmt von seinen fast schielenden Äuglein, die ganz dicht neben der dreieckigen Nase saßen. Seine unteren Zähne hatten sich in der Oberlippe festgebissen. Einzig der blitzende viereckige Helm auf seinem unnatürlich großen Kopf verriet Leben. Chac Mool schritt auf mein Bett zu; da fing es an zu regnen.»

Ich weiß noch, dass Filiberto Ende August aus dem Amt entlassen wurde, mit einer öffentlichen Rüge vom Direktor und Gemunkel von geistiger Umnachtung, sogar von Diebstahl. Das habe ich nicht geglaubt. Ich habe allerdings einige unsinnige Schriftstücke gesehen: da wurde der Bürovorsteher gefragt, ob man Wasser riechen könne, dem Amt für Wasserversorgung wurde Regen in der Wüste angeboten. Ich konnte mir darauf keinen Reim machen; ich dachte, die ungewöhnlich starken Regenfälle in diesem Sommer hätten vielleicht meinem Freund zu schaffen gemacht. Oder das Leben in dem großen alten Haus ohne Dienstboten und ohne Familie – die Hälfte der Zimmer war verschlossen und verstaubt –

polvados, sin criados ni vida de familía. Los apuntes siguientes son de fines de septiembre:

«Chac Mool puede ser simpático cuando quiere, ‹... un gluglú de agua embelesada› ... Sabe historias fantásticas sobre los monzones, las lluvias ecuatoriales y el castigo de los desiertos; cada planta arranca de su paternidad mítica: el sauce es su hija descarriada; los lotos, sus niños mimados; su suegra, el cacto. Lo que no puedo tolerar es el olor, extrahumano, que emana de esa carne que no lo es, de las sandalias flamantes de vejez. Con risa estridente, Chac Mool revela cómo fue descubierto por Le Plongeon y puesto físicamente en contacto de hombres de otros símbolos. Su espíritu ha vivido en el cántaro y en la tempestad, naturalmente; otra cosa es su piedra, y haberla arrancado del escondite maya en el que yacía es artifical y cruel. Creo que Chac Mool nunca lo perdonará. El sabe de la inminencia del hecho estético.

«He debido proporcionarle sapolio para que se lave el vientre que el mercader, al creerlo azteca, le untó de salsa *ketchup*. No pareció gustarle mi pregunta sobre su parentesco con Tláloc (deidad azteca de la lluvia), y cuando se enoja, sus dientes, de por sí repulsivos, se afilan y brillan. Los primeros días, bajó a dormir al sótano; desde ayer, lo hace en mi cama.»

«Ha empezado la temporada seca. Ayer, desde la sala donde ahora duermo, comencé a oír los mismos lamentos roncos del principio, seguidos de ruidos terribles. Subí; entreabrí la puerta de la recámara: Chac Mool estaba rompiendo las

sei schuld an seiner gedrückten Stimmung. Die folgenden Aufzeichnungen sind von Ende September:

«Chac Mool kann ganz nett sein, wenn er will ‹… ein Glucksen von Zauberwasser› … Er kennt wunderbare Geschichten von Monsunwinden, tropischen Regengüssen, fluchbeladenen Wüsten; jede Pflanze entsprießt seiner göttlichen Vaterschaft: die Trauerweide ist seine umherirrende Tochter, die Lotusblüten sind seine zärtlich geliebten Kinder; seine Schwiegermutter ist der Kaktus. Unerträglich für mich ist der seltsame, nicht menschliche Geruch, der von seinem Fleisch ausgeht, das keines ist, und von seinen Sandalen, die vor lauter Alter glänzend blank gescheuert sind. Mit gellendem Gelächter verrät mir Chac Mool, wie er von Le Plongeon entdeckt und neben Menschen anderer Glaubensrichtung gestellt wurde. Sein Geist hat natürlich immer in Wasserkrügen und Gewitterstürmen gewohnt; anders ist es mit seinem Stein: ihn aus seinem Maya-Versteck herausgezerrt zu haben, wo er ruhte, ist ein grausamer Verstoß gegen seine Wesensart. Ich glaube, dass Chac Mool das niemals verzeihen wird. Er weiß um die Dringlichkeit des Schönen.

Ich habe ihm mit Schmierseife das Ketchup abschrubben müssen, mit dem ihn der Händler bemalt hatte, damit er aztekisch aussah. Meine Frage nach seiner Verwandtschaft mit Tlaloc, dem aztekischen Regengott, schien ihm zu missfallen; wenn er zornig wird, blitzen seine ohnehin schon widerwärtigen Zähne noch abstoßender und wirken noch spitziger. In den ersten Tagen ging er zum Schlafen in den Keller; seit gestern legt er sich zu mir ins Bett.»

«Die Trockenzeit hat angefangen. Gestern hörte ich vom Wohnzimmer aus, wo ich jetzt schlafe, das gleiche heisere Stöhnen wie in der Anfangszeit, und dann ein fürchterliches Getöse. Ich ging die Treppe hinauf und öffnete vorsichtig die Schlafzimmertür: Chac Mool zertrümmerte Lampen und

lámparas, los muebles; al verme, saltó hacia la puerta con las manos arañadas, y apenas pude cerrar e irme a esconder al baño. Luego bajó, jadeante, y pidió agua; todo el día tiene corriendo los grifos, no queda un centímetro seco en la casa. Tengo que dormir muy abrigado, y le he pedido que no empape más la sala. Filiberto no explica en que lengua se entendía con el Chac Mool. »

« El Chac inundó hoy la sala. Exasperado, le dije que lo iba a devolver al mercado de la Lagunilla. Tan terrible como su risilla – horrorosamente distinta a cualquier risa de hombre o de animal – fue la bofetada que me dio, con ese brazo cargado de pesados brazaletes. Debo reconocerlo: soy su prisionero. Mi idea original era bien distinta: yo dominaría a Chac Mool, como se domina a un juguete; era, acaso, una prolongación de mi seguridad infantil; pero la niñez – ¿quién lo dijo? – es fruto comido por los años, y yo no me he dado cuenta … Ha tomado mi ropa y se pone la bata cuando empieza a brotarle musgo verde. El Chac Mool está acostumbrado a que se le obedezca, desde siempre y para siempre; yo, que nunca he debido mandar, sólo puedo doblegarme ante él. Mientras no llueva – ¿y su poder mágico? – vivirá colérico e irritable. »

« Hoy descubrí que en las noches Chac Mool sale de la casa. Siempre, al oscurecer, canta una tonada chirriona y antigua, más vieja que el canto mismo. Luego cesa. Toqué varias veces a su puerta, y como no me contestó, me atreví a

Möbel; kaum sah er mich, stürzte er mit zerschundenen Händen auf die Tür zu, nur knapp vermochte ich sie zuzuziehen und mich ins Badezimmer zu retten. Später kam er keuchend herunter und verlangte Wasser; den ganzen Tag lässt er sämtliche Wasserhähne laufen, kein Zentimeter bleibt trocken im Haus. Ich muss mich warm einpacken zum Schlafen; ich habe ihn gebeten, wenigstens das Wohnzimmer nicht mehr zu überschwemmen.» (Filiberto gibt nicht an, in welcher Sprache er sich mit dem Chac Mool verständigte).

«Heute hat der Chac das Wohnzimmer unter Wasser gesetzt. Ich drohte ihm wutentbrannt, ihn in den Laden in der Lagunilla zurückzubringen. So furchtbar wie sein Grinsen – entsetzlich anders als irgendein Gelächter von Mensch oder Tier – war die Ohrfeige, die er mir mit seinem dicht mit schweren Reifen behängten Arm gab. Ich muss es eingestehen: ich bin sein Gefangener. Ursprünglich hatte ich mir das ganz anders vorgestellt: ich hatte gemeint, ich könne Chac Mool beherrschen, wie man ein Spielzeug beherrscht; vielleicht war es noch ein Ausläufer kindlichen Überlegenheitsgefühls gewesen; aber die Kindheit – wer hat das gesagt? – ist eine Frucht, die von den Jahren aufgezehrt wird, und ich habe es nicht gemerkt … Er hat meine Kleider genommen, und wenn ihm der grüne Belag wächst, zieht er meinen Hausrock an. Der Chac Mool ist es gewohnt, dass man ihm gehorcht, seit jeher und für immer; ich habe nie befehlen dürfen und kann mich ihm nur beugen. Solange es nicht regnet – und seine Wunderkraft? – bleibt er misslaunig und reizbar.»

«Heute bin ich dahinter gekommen, dass Chac Mool nachts aus dem Haus geht. Immer wenn es dunkel wird, stimmt er einen altertümlichen quietschenden Singsang an – älter als das Singen selbst. Dann wird es still. Ich klopfte mehrmals an seine Tür, und da er nicht antwortete, wagte ich mich hinein.

entrar. No había vuelto a ver la recámara desde el día en que la estatua trató de atacarme: está en ruinas, y allí se concentra ese olor a incienso y sangre que ha permeado la casa. Pero detrás de la puerta, hay huesos: huesos de perros, de ratones y gatos. Esto es lo que roba en la noche el Chac Mool para sustentarse. Esto explica los ladridos espantosos de todas las madrugadas.»

«Febrero, seco. Chac Mool vigila cada paso mío; me ha obligado a telefonear a una fonda para que diariamente me traigan un portaviandas. Pero el dinero sustraído de la oficina ya se va a acabar. Sucedió lo inevitable: desde el día primero, cortaron el agua y la luz por falta de pago. Pero Chac Mool ha descubierto una fuente pública a dos cuadras de aquí; todos los días hago diez o doce viajes por agua, y él me observa desde la azotea. Dice que si intento huir me fulminará: también es Dios del Rayo. Lo que él no sabe es que estoy al tanto de sus correrías nocturnas … Como no hay luz, debo acostarme a las ocho. Ya debería estar acostumbrado al Chac Mool, pero hace poco, en la oscuridad, me topé con él en la escalera, sentí sus brazos helados, las escamas de su piel renovada y quise gritar.»

«Si no llueve pronto, el Chac Mool va a convertirse otra vez en piedra. He notado sus dificultades recientes para moverse; a veces se reclina durante horas, paralizado, contra la pared y parece ser, de nuevo, un ídolo inerme, por más dios de la tempestad y el trueno que se le considere. Pero estos reposos sólo le dan nuevas fuerzas para

Seit dem Tag, da die Statue versucht hatte, mich anzugreifen, bin ich nie mehr in meinem Schlafzimmer gewesen: alles ist kurz und klein geschlagen, und es haftet darin der Geruch nach Weihrauch und Blut, der das ganze Haus durchdringt. Hinter der Tür liegen Knochen: Knochen von Hunden, Mäusen, Katzen. Sowas raubt sich der Chac Mool nachts als Nahrung zusammen. Das erklärt auch das grässliche Geheul jeden Morgen in aller Frühe.»

«Februar, trocken. Chac Mool belauert jeden meiner Schritte; er hat mich gezwungen, eine Gaststätte anzurufen und mir das Essen jeden Tag in einem Henkeltopf bringen zu lassen. Aber das im Büro abgezweigte Geld geht allmählich zur Neige. Das Unvermeidliche ist geschehen: Seit dem Ersten sind Wasser und Strom wegen Zahlungsrückstand abgestellt. Aber Chac Mool hat zwei Straßen weiter einen öffentlichen Brunnen entdeckt; jeden Tag gehe ich zehn- bis zwölfmal Wasser holen, und er beobachtet mich von der Dachterrasse aus. Er sagt, er werde mich zerschmettern, wenn ich zu fliehen versuchen wollte; er ist auch der Gott des Blitzes. Hingegen weiß er nicht, dass ich von seinen nächtlichen Streifzügen Kenntnis habe … Da wir kein Licht haben, muss ich um acht Uhr zu Bett gehen. Ich sollte mich eigentlich schon an Chac Mool gewöhnt haben, aber neulich stieß ich im Dunkeln mit ihm auf der Treppe zusammen, spürte seine eiskalten Arme, die Schuppen auf seiner neugewachsenen Haut, und hätte beinahe aufgeschrien.»

«Wenn es nicht bald regnet, wird Chac Mool wieder zu Stein erstarren. Kürzlich habe ich bemerkt, wie mühsam er sich neuerdings bewegt; manchmal lehnt er stundenlang wie gelähmt an der Wand, als wäre er wieder ein wehrloses Götzenbild, auch wenn er als noch so mächtiger Sturm- und Donnergott gilt. Aber solche Ruhepausen geben ihm nur neue Kräfte, um mich zu misshandeln und zu kratzen, als könnte

vejarme, arañarme como si pudiese arrancar algún líquido de mi carne. Ya no tienen lugar aquellos intermedios amables durante los cuales relataba viejos cuentos; creo notar en él una especie de resentimiento concentrado. Ha habido otros indicios que me han puesto a pensar: los vinos de mi bodega se están acabando; Chac Mool acaricia la seda de la bata; quiere que traiga una criada a la casa; me ha hecho enseñarle a usar jabón y lociones. Incluso hay algo viejo en su cara que antes parecía eterna. Aquí puede estar mi salvación: si el Chac cae en tentaciones, si se humaniza, posiblemente todos sus siglos de vida se acumulen en un instante y caiga fulminado por el poder aplazado del tiempo. Pero también me pongo a pensar en algo terrible: el Chac no querrá que yo asista a su derrumbe, no querrá un testigo …, es posible que desee matarme. »

«Hoy aprovecharé la excursión nocturna de Chac para huir. Me iré a Acapulco; veremos qué puede hacerse para conseguir trabajo y esperar la muerte de Chac Mool; sí, se avecina; está canoso, abotagado. Yo necesito asolearme, nadar, recuperar fuerzas. Me quedan cuatrocientos pesos. Iré a la Pensión Müller, que es barata y cómoda. Que se adueñe de todo Chac Mool: a ver cuánto dura sin mis baldes de agua. »

Aquí termina el diario de Filiberto. No quise pensar más en su relato: dormí hasta Cuernavaca. De ahí a México pretendí dar coherencia al escrito, relacionarlo con exceso de trabajo, con algún mo-

er irgendwelche Flüssigkeit aus meinem Fleisch herauspressen. Die gemütlichen Plauderstunden, in denen er mir alte Geschichten erzählte, finden nicht mehr statt; ich meine, bei ihm eine Art geballten Groll zu bemerken. Noch andere Anzeichen geben mir zu denken: der Wein in meinem Keller geht zur Neige; Chac Mool streichelt liebevoll die Seide meines Hausrocks; er möchte, das ich ein Dienstmädchen ins Haus bringe; ich habe ihm den Gebrauch von Seife und Gesichtswasser zeigen müssen. Sein Aussehen, das früher zeitlos wirkte, scheint irgendwie gealtert. Hier liegt möglicherweise meine Rettung: Wenn der Chac Versuchungen erliegt, wenn er sich vermenschlicht – dann ballen sich vielleicht alle Jahrhunderte seines Lebens in einem einzigen Augenblick zusammen, und die Wucht der angestauten Zeit zerschmettern ihn. Aber es befällt mich auch ein anderer fürchterlicher Gedanke: Der Chac will nicht, dass ich seinen Untergang mit erlebe, er will wahrscheinlich keine Zeugen…, es kann sein, dass er mich umbringen möchte.»

«Heute Nacht werde ich die Abwesenheit von Chac Mool zur Flucht nutzen. Ich fahre nach Acapulco; es wird sich zeigen, was sich machen lässt, um Arbeit zu finden und auf Chac Mools Tod zu warten; nein, es dauert nicht mehr lange; sein Haar ist grau geworden und sein Leib ist aufgedunsen. Ich muss mich an die Sonne legen, schwimmen, zu Kräften kommen. Vierhundert Pesos habe ich noch. Ich werde in die Pension Müller gehen, sie ist billig und gemütlich. Chac Mool kann über alles verfügen: Wie lange hält er es wohl aus ohne meine Eimer Wasser?»

Hier endet Filibertos Tagebuch. Ich hatte keine Lust, weiter über seinen Bericht nachzudenken; ich schlief bis Cuernavaca. Von dort bis Mexiko-Stadt versuchte ich, Zusammenhang in das Geschriebene zu bringen, es auf Arbeitsüberlastung

tivo sicológico. Cuando, a las nueve de la noche llegamos a la terminal, aún no podía explicarme la locura de mi amigo. Contraté una camioneta para llevar el féretro a casa de Filiberto, y desde allí ordenar el entierro.

Antes de que pudiera introducir la llave en la cerradura, la puerta se abrió. Apareció un indio amarillo, en bata de casa, con bufanda. Su aspecto no podía ser más repulsivo; despedía un olor a loción barata; quería cubrir las arrugas con la cara polveada; tenía la boca embarrada de lápiz labial mal aplicado, y el pelo daba la impresión de estar teñido.

– Perdone …no sabía que Filiberto hubiera …

– No importa; lo sé todo. Dígales a los hombres que lleven el cadáver al sótano.

oder eine psychische Ursache zurückzuführen. Als wir um neun Uhr abends an der Endstation ankamen, konnte ich mir den Wahnsinn meines Freundes immer noch nicht erklären. Ich mietete einen Lieferwagen, um den Sarg in Filibertos Haus zu bringen und von dort aus das Begräbnis zu regeln.

Bevor ich den Schlüssel ins Schloss stecken konnte, ging die Tür auf. Mir gegenüber stand ein gelber Indio im Hausrock, mit einem Schal um den Hals. Sein Aussehen hätte nicht abstoßender sein können: er roch nach billigem Gesichtswasser; um die Runzeln zu verdecken, hatte er sein Gesicht gepudert; sein Mund war mit schlecht aufgetragenem Lippenstift verschmiert, das Haar sah gefärbt aus.

«Entschuldigen Sie … ich wusste nicht, dass Filiberto …»

«Macht nichts; ich weiß alles. Sagen Sie den Männern, sie sollen den Sarg in den Keller stellen.»

Juan García Ponce
La plaza

Todas las tardes, al salir de su oficina, C se dirigía a la plaza a la que durante casi todos los días de su infancia había deseado ir con un propósito determinado lográndolo sólo en unas cuantas ocasiones inolvidables. Allí, en la antigua nevería bajo los portales, a un lado de los puestos de revistas y periódicos y de los cambiantes retratos de las películas del viejo cine, sentados en las conocidas sillas de pies y respaldo de metal y gastado asiento de madera alrededor de una de las pequeñas mesas redondas con cubiertas de mármol, encontraba a un grupo de amigos. El número no era siempre el mismo, pero invariablemente había alguien. A esa hora, la permanente luz que durante el día brillaba implacable sobre los laureles de la India, la cúpula del quiosco en el centro de la plaza, las lavadas piedras de la catedral y los edificios coloniales, con el discrepante gallo que anunciaba la farmacia en una de las esquinas, empezaba a ceder haciéndose casi neutra antes de que el sol se ocultara y por un instante todo permanecía inmóvil y a la expectativa, sumergido en sí mismo, como si el momento fuera a mantenerse indefinidamente y la tarde, negándose a entregarse a la noche, prolongara más allá de sus posibilidades el día. En el portal el rumor de las conversaciones, el peculiar sonido de algún plato en el mármol y hasta el metálico apartarse de alguna silla sobre el mosaico del piso se apagaban un poco, adquiriendo un tono más grave y, de pronto, se escuchaba el irritado canto de innumerables pájaros que se agitaban invisibles entre las oscurecidas ramas de los laureles. Después el lento lla-

Juan García Ponce
Der Platz

Jeden Abend nach Büroschluss ging C zum Hauptplatz, wohin er in seiner Kindheit fast jeden Tag mit einer bestimmten Absicht sehnlichst zu gehen gewünscht hatte, aber es war nur bei ganz seltenen unvergesslichen Gelegenheiten geglückt. In der alten Eisdiele unter den Arkaden neben dem Zeitungs- und Zeitschriftenstand und den wechselnden Filmporträts beim alten Kino saßen schon seine Freunde auf den gewohnten Stühlen mit den metallenen Beinen und Rückenlehnen und den abgenutzten Holzsitzen um ein kleines rundes Marmortischchen herum. Es kamen nicht immer gleich viele, aber wenigstens einer war immer da. Um diese Zeit kurz vor Sonnenuntergang wurde das Licht etwas milder, das den ganzen Tag über gnadenlos auf den indischen Lorbeer und die Kuppel auf dem Pavillon in der Platzmitte gebrannt hatte und auch auf die ausgewaschenen Quadersteine der Kathedrale und der Kolonialgebäude mit dem unpassenden Hahn an einer Ecke, der die Apotheke anzeigte; für kurze Zeit blieb alles wie in erwartungsvoller Ruhe in sich versunken, als ob der Abend ewig dauern und der Nacht nicht weichen wollte, dagegen versuchte, die Tageshelle über ihre Grenzen hinaus zu verlängern. Die Geräusche der Gespräche, auch das Klappern eines Tellers auf dem Marmortischchen oder das Verrücken eines Metallstuhles auf dem Mosaikboden wurden im Bogengang ein bisschen gedämpft und wirkten ernster, doch plötzlich hörte man fast nur noch das aufgeregte Gezwitscher unzähliger Vögel, die unsichtbar im dunklen Geäst der Lorbeerbüsche umher schwirrten. Dann rollten die schweren Glockenschläge von der Kathedrale in immer größeren Kreisbewegungen über den Platz, und es

mado de las campanas de la catedral se extendía rodando sobre sí mismo por encima de la plaza en círculos cada vez más amplios y era como si el sonido lograra que el aire adquiriese substancia marcándose en su intangible espacio como el movimiento concéntrico de las ondas que produce un objeto al caer en un lago tranquilo. Mientras tomaba el sorbete de guanábana que el mesero acababa de dejar frente a él, participando distraído en la vaga conversación general, C advertía oscuramente esa imperceptible conjunción de movimientos como algo que la costumbre ha terminado por hacer parte de nosotros mismos. Enseguida, el tiempo volvía a ponerse en movimiento. Antes de que oscureciera, los amigos empezaban a retirarse y al llegar la noche otros clientes ocupaban la mesa que ellos habían abandonado con el recuerdo del repiqueteo de una última moneda arrojada sobre la cubierta de mármol, al tiempo que se echaban hacia atrás las sillas. La noche se abría a un nuevo día y por la tarde, al salir de su oficina, C volvía a dirigirse a la plaza. Así pasaban las semanas y los meses, indiferenciados en la semejanza con que las horas se repetían a sí mismas. Una boda, alguna muerte, un amigo que decidía abandonar la ciudad, un nuevo bautizo provocaban de vez en cuando una inesperada revelación del paso del tiempo, pero, encerrado en un espacio perfectamente delimitado, éste no parecía realizarse hacia adelante, sino provocando miradas hacia atrás que inevitablemente se cerraban sobre la aparición de algún antiguo recuerdo al que muy pronto se devolvía al olvido. Por la tarde, bajo los portales, los constantes cambios en el número de amigos que se reunían alrededor de la pequeña mesa con cubierta del mármol ocultaban las ausencias definitivas, pero éstas no eran menos reales por ello. Sólo el misterioso cambio en el poder de la

war, als ob die Luft körperlich würde und einen nicht greifbaren Raum bildete, ähnlich wie die kreisförmigen Wellen, die ein in einen stillen See geworfener Gegenstand auslöst. Während C von dem Guanábana-Saft schlürfte, den ihm der Kellner soeben hingestellt hatte, und sich zerstreut an den unverbindlichen Gesprächen der Runde beteiligte, ahnte er dunkel etwas von der kaum wahrnehmbaren Überlagerung von Bewegungen, an die wir uns im Laufe der Zeit so gewöhnt haben, dass wir sie bereits als zu uns gehörend empfinden. Sofort setzte sich die Zeit wieder in Bewegung. Bevor es dunkel wurde, gingen die Freunde einer nach dem anderen nach Hause – noch mit dem Nachklang der letzten Münze im Ohr, die sie gleichzeitig mit dem Wegrücken des Stuhls auf die Marmorplatte geworfen hatten, standen sie mit einem Abschiedsgruß auf, und bei Nachtanbruch saßen bereits neue Gäste am Tisch. Die Nacht öffnete sich einem neuen Tag, und am Abend nach Büroschluss lenkte C seine Schritt wieder dem Platz zu. So vergingen die Wochen und die Monate, gleichförmig und ohne Unterschied wiederholten sich die Stunden. Eine Hochzeit, bisweilen ein Todesfall, der Entschluss eines Freundes, die Stadt zu verlassen, eine neue Taufe auch machten hin und wieder das Verfließen der Zeit überraschend bewusst, aber eingefügt in den klar begrenzten Raum eröffnete dies nicht einen Blick nach vorn, sondern löste eher Rückblenden aus, die unvermeidlich bei einem früheren Ereignis haften blieben, aber bald wieder dem Vergessen anheim fielen. Am Abend unter den Arkaden blieb beim dauernden Schwanken der Anzahl Freunde, die um das Marmortischchen beisammen waren, das endgültige Fehlen des einen oder anderen zwar unbemerkt, aber es war doch nicht weniger wirklich. Nur der geheimnisvolle Lichtwechsel, das plötzliche Vogelgezwitscher und das lange Glockengeläute blieben sich immer gleich. Der unhörbare Lauf der Zeit brachte es schließlich mit sich, dass der Tisch

luz, el súbito canto de los pájaros y el largo tañido de las campanas permanecían inmutables. Fue así como un día llevado por el silencioso movimiento de los días, que habían acabado por deshabitar casi permanentemente la mesa de la antigua nevería, C dejó de ir también a la plaza. El último mes, sólo él y uno, a veces dos amigos habían seguido encontrándose bajo los portales por la tarde. De pronto la plaza quedaba definitivamente atrás. Junto con ellos, la ciudad también la hizo a un lado, obedeciendo los involuntarios movimientos que determinaban su crecimiento. Aunque nominalmente no había perdido su carácter simbólico de centro, y la catedral, los arcos coloniales del palacio de gobierno y la hermosa fachada de la casa en la que se había grabado por primera vez el escudo de la ciudad conservaban su prestigio, para los niños los sorbetes de la antigua nevería ya no eran los más codiciados y entre los laureles de la India, el quiosco en cuya cúpula la luz se posaba sin reflejos al empezar a repicar las campanas mostraba sus oxidados barandales de hierro sin que a nadie se le ocurriera protestar, mientras las manchas dejadas por las golondrinas en el piso desaparecían sólo gracias al viento que las borraba una vez que el sol las había secado. Aislada en su propia realidad, la plaza se quedó sin memoria. Y para C, que le volvió la espalda junto con la ciudad, su acción no tuvo ningún eco exterior, aunque más allá de su conocimiento había creado un vacío que nadie parecía capaz de llenar porque tan sólo se mostraba en inesperados golpes de nostalgia por algo cuya naturaleza no podía expresar y que trataba de borrar rápidamente, con una especie de vergüenza ante la posibilidad de que eso se advirtiera y de temor por la capacidad de ese algo desconocido para paralizarlo de una manera extraña, alejándolo de las realidades concretas que tenía a su lado y llenaban sus

in der altertümlichen Eisdiele fast ständig unbenützt blieb, und so kam es, dass C eines Tages auch nicht mehr hinging. Im letzten Monat hatten sich nur noch er und einer oder bisweilen zwei Freunde am Abend unter den Arkaden am Hauptplatz getroffen. Auf einmal war der Platz endgültig abgetan. Wie die beiden Freunde hatte ihn auch die Stadt aus ihrer Mitte gerückt und gehorchte so unwillkürlich den Bewegungen, die ihr Wachstum bestimmten. Vom Namen her hatte er zwar seine symbolische zentrale Bedeutung nicht verloren, und auch die Kathedrale, die Arkaden des kolonialen Regierungspalastes und die schöne Fassade des Gebäudes, wo zum ersten Mal das Stadtwappen eingemeißelt worden war, hatten ihr Würde und ihr Ansehen behalten, aber für die Kinder waren die Fruchtsäfte in der altertümlichen Eisdiele nicht mehr das Allerbegehrenswerteste, und auch der Pavillon inmitten des indischen Lorbeers, auf dessen Kuppel beim Abendläuten die Sonne ohne sich zu spiegeln herabschien, zeigte rostige Stellen am Geländer, doch niemand wäre auf die Idee gekommen, sich deswegen zu beschweren, und die Flecken auf dem Boden, die von den Schwalben stammten, verschwanden nur, wenn der Wind sie wegfegte, nachdem sie in der Sonne getrocknet waren. Abgeschottet in seiner eigenen Wirklichkeit war der Platz zeitlos und ohne Gedächtnis. Für C, der ihm wie die Stadt als ganze den Rücken gekehrt hatte, blieb seine Tat ohne äußere Folgen, obwohl sie jenseits seines Bewusstseins eine Leere geschaffen hatte, die anscheinend niemand zu füllen vermochte, denn sie zeigte sich nur in unerwarteten Anfällen von Heimweh nach etwas, dessen Beschaffenheit er nicht in Worte fassen konnte und das er sogleich wieder zu vergessen suchte – einerseits schämte er sich angesichts der Möglichkeit, jemand könnte es gewahr werden, andererseits ängstigte ihn das unbekannte Etwas, dem er die Fähigkeit zutraute, ihn auf seltsame Weise zu lähmen und von der greifbaren Wirklichkeit um

afectos. Ahora, simplemente, al salir de su oficina se dirigía directamente a su casa. Allí, el manto de lo conocido lo envolvía con sus firmes pliegues, aunque, a veces, por debajo de él, la sensación de vacío permaneciera agazapada, oscura y amenazante en su misteriosa irrealidad y la huella de los días que habían quedado atrás se mostrara entonces en toda su profundidad sin que nada le permitiera recuperarlos, mientras la vida o lo que antes ocultaba su vacío parecía pasar a su lado sin tocarlo, ardiente y helado, denso e indiferente, demasiado vago para reconocerlo, demasiado intenso para ignorarlo, dejándolo solo, desamparado y sin tener a quién recurrir para volver a encontrarse a sí mismo, hasta que un día, por casualidad, C se encontró otra vez en la plaza por la tarde. A su lado, la catedral descansaba pesadamente bajo el sol. La luz borraba su silueta haciéndola vibrar junto con la de los demás edificios como si de pronto todos se hubieran puesto en movimiento. Unas cuantas figuras indiferenciadas descansaban en los descuidados bancos de la plaza a la sombra de los laureles y al filtrarse entre las copas de éstos, la misma luz que vibraba implacable sobre los edificios formaba en el piso charcos de sombra que parecían comunicarse entre sí cuando el viento agitaba las ramas de los árboles. Desde la esquina en que se disponía a subir a su coche, C vio bajo los portales las pequeñas mesas de cubierta de mármol cercadas por los lineales respaldos de metal de las sillas y se dirigió a la antigua nevería. Al sentarse, su espalda reconoció el trazo del respaldo de metal grabándose en ella, como cuando era niño. El mesero lo saludó reconociéndolo, igual que cuando algún domingo por la mañana había llegado a la nevería con su mujer y sus hijos; pero ahora C lo veía de una manera distinta. El rostro, envejecido de pronto, lo llevaba hacia sus inmutables anhelos de

ihn herum fernzuhalten, die seine Gefühle in Beschlag nahm.
Jetzt ging er nach Büroschluss einfach nach Hause. Dort um-
fing ihn der Mantel der Gewohnheit mit seinen fest einge-
legten Falten, obwohl manchmal das dunkel drohende Gefühl
der Leere in geheimnisvoller Unwirklichkeit darunter kau-
erte und die Spur zurückliegender Tage sich in ihrer ganzen
Tiefe zeigte, jedoch keine Möglichkeit, diese zurückzuholen,
derweil das Leben oder was vorher die Leere zugedeckt hatte, an ihm vorbeizuziehen schien, ohne ihn zu berühren –
brennend heiß oder eiskalt, dicht oder belanglos, zu schatten-
haft zum Wahrnehmen oder zu leuchtkräftig zum Überse-
hen; er fühlte sich allein und schutzlos, hatte niemanden, den
er um Hilfe angehen konnte, um sich selbst wieder zu finden, und so kam es, dass C sich eines Abends zufällig wieder
auf dem Platz befand. Neben ihm ruhte die massige Kathedrale unter der Last der Sonne. Das flimmernde Licht ver-
wischte ihre Umrisse wie auch die der anderen Gebäude, so
als hätten sich auf einmal alle in Bewegung gesetzt. Auf den
ungepflegten Bänken des Platzes saßen im Schatten der Lorbeerbüsche einige nicht erkennbare Gestalten, durch das
Laub wurden Sonnenstrahlen gefiltert – die gleichen, die un-
erbittlich über den Gebäuden flimmerten – und bildeten auf
dem Boden Schattentümpel, die sich scheinbar miteinander
verbanden, wenn der Wind durch das Geäst strich. Von der
Ecke aus, wo C soeben seinen Wagen besteigen wollte, sah er
unter den Arkaden die Marmortischchen und darum herum
die Linien der metallenen Stuhllehnen, und er lenkte seine
Schritte zur alten Eisdiele. Als er sich setzte, erkannte sein
Rücken die Form der Lehne wieder, die sich genau gleich
eingrub wie damals, als er noch ein Kind war. Der Kellner
grüßte ihn wie einen alten Bekannten, genau so wie früher,
als er manchmal am Sonntagmorgen mit Frau und Kindern
gekommen war; aber jetzt sah ihn C mit anderen Augen an.
Das plötzlich gealterte Gesicht trug seine Erinnerungen zu

infancia y sus nunca recordadas costumbres de estudiante, deteniéndose en un pasado vivo e inalterable en vez de mostrarle el camino del tiempo. Pidió un sorbete y se quedó mirando sin ver hacia la plaza con la sensación del que está a punto de entrar a una habitación en la que todo debe resultarle conocido aunque nunca ha estado en ella. Entonces, igual que cuando se reunía con su grupo de amigos y como durante todos los días siguientes durante su larga ausencia, la tarde empezó a ceder ante la noche y llegó ese momento en el que por un instante todas las cosas se mantenían suspendidas en sí mismas; pero ahora C seguía cada una de las imperceptibles transformaciones con el ánimo detenido en el punto más alto de una inexpresable elevación que rechazaba el movimiento de caída. Los pájaros empezaron a cantar, invisibles entre las ramas de los laureles, y luego las campanas dejaron escapar su seco y prolongado sonido sobre el canto como si no viniera de las torres de la iglesia sino de mucho más atrás, de un espacio distinto que se precipitó sobre C igual que una vasta ola, dulce, silenciosa y cada vez más grande, que se extendiera sin límites, oscura y envolvente como una noche hecha de luz en vez de sombras que lo cubriera con su callado manto. Por primera vez en mucho tiempo, como no lo había sentido en compañía de nadie ante ningún acontecimiento, C sintió una muda y permanente felicidad, y la plaza, a la que supo que regresaría ahora definitivamente todas las tardes, se quedó otra vez en su interior, encerrando todo en un tiempo que está más allá del tiempo y le devolvía a C durante un instante fugaz pero imperecedero toda su substancia.

den unauslöschlichen Kindheitssehnsüchten zurück und zu den mittlerweile vergessenen Studentengewohnheiten, und anstatt ihm den Lauf der Zeit vor Augen zu führen, blieben sie an einer lebendigen unwandelbaren Vergangenheit haften. Er bestellte einen Fruchtsaft, schaute auf den Platz, ohne etwas zu sehen, und es kam ihm vor, er sei im Begriff, ein Zimmer zu betreten, wo ihm alles bekannt sein musste, obwohl er niemals drinnen gewesen war. Dann, genau so wie damals, als er sich mit seiner Freundesgruppe traf, und an allen Tagen danach während seiner langen Abwesenheit, wich der Tag allmählich der Nacht, und es kam der Augenblick, da alles einen Atemzug lang in der Schwebe zu verharren schien; aber jetzt achtete C gespannt auf jede der kaum wahrnehmbaren Veränderungen und erlebte den unaussprechlichen Höhepunkt, der sich gegen die Abwärtsbewegung zu sträuben schien. Unsichtbar im Geäst der Lorbeerbüsche hoben die Vögel mit ihrem Gezwitscher an, dann legten sich die trockenen bedächtigen Glockenklänge darüber, so als kämen sie gar nicht vom Turm, sondern von viel weiter her, aus einem ganz anderen Raum, und C fühlte sich von einer riesigen sanften Welle überrollt, die sich immer weiter in die endlose Stille ausdehnte und alles in ihr Dunkel hüllte, aber nicht in eine schweigende Schattennacht, sondern in eine Nacht aus Licht. Zum ersten Mal seit langem fühlte C wortlose bleibende Glückseligkeit, wie er sie noch bei keiner Gelegenheit und mit niemandem zusammen erlebt hatte, und er wusste ein für allemal, dass er von nun an wieder jeden Abend zum Platz kommen würde, der ein Bestandteil seines Wesens war und alles in eine Zeit jenseits der Zeit einschloss und C für einen flüchtigen, aber unzerstörbaren Augenblick seinen ganzen Gehalt übermittelte.

Eraclio Zepeda
Don Chico que vuela

Te paras al borde del abismo y ves el pueblo vecino,
enfrente, en el cerro que se empina ante tus ojos,
subiendo entre nubes bajas y neblinas altas: adivinas
los ires y venires de su gente, sus oficios, sus destinos.
Sabes que en línea recta está muy cerca. Si caminaras
al aire, en un puente de hamacas suspendido entre
los cerros, podrías llegar como el pensamiento, en
un instante.

Y sin embargo el camino real, el camino verdadero,
te desploma hasta los pies del cerro, bajando por veri-
cuetos difíciles, entre barrancas y cascadas, entre piedras y caídas, hasta llegar al fondo de la quebrada
donde corre espumeando el gran caudal del río que
debes cruzar a fuerza, para iniciar el ascenso metro
tras metro. Muchas horas después llegas cansado,
lleno de sudor y lodo y volteas la cabeza para ver tu
propio pueblo a distancia, como antes viste la plaza
en la que estás ahora.

Ahí es donde le das la razón a don Pacífico Muñoz,
don Chico, quien no soporta estas distancias que tú
has caminado y dice que ir a pie es inútil y a caballo
tontería, que para estas tierras volar es indispensable.
Hace años que le escuchaste los primeros proyectos
de vuelo y contravuelo. Fue cuando sentado, como
tú ahora, al borde del abismo viendo el otro pueblo,
dijo dándose un manotazo en las rodillas:

— Si no es tanto lo encogido de estas tierras sino lo
arrugado. Montañas y montañas acrecentando las distancias. Si a este estado lo plancharan le ganábamos

Eraclio Zepeda
Don Chico wird fliegen

Du stehst am Rande des Abgrunds und siehst das Dorf gegenüber zwischen tiefen Wolken und hohen Nebelschleiern am steilen Berghang emporklettern: du errätst das Kommen und Gehen der Leute dort, ihre Beschäftigungen, ihre Schicksale. Du weißt, dass es in der Luftlinie ganz nahe ist. Wenn du auf einer an den Bergen aufgehängten Seilbrücke hinübergehen könntest, wärst du wie die Gedanken im Nu dort.

Trotzdem schickt dich die Verbindungsstraße, der tatsächliche Weg, steil hinunter bis an den Fuß des Berges – auf schwierigen Wegen über Böschungen, Abstürze, Felsen und Geröll bis zuunterst in die Schlucht – wo du gezwungen bist, den Fluss mit seinen schäumenden Wassermassen zu überqueren, um dann meterweise den Anstieg auf dich zu nehmen. Nach vielen Stunden kommst du müde, schwitzend und schmutzig oben an, drehst den Kopf und siehst dein eigenes Dorf in der Ferne, wie du vorher den Platz gesehen hast, wo du jetzt stehst.

Hier nun pflichtest du Don Pacífico Muñoz bei, alias Don Chico, der diese weiten Entfernungen nicht erträgt, die du zurückgelegt hast, und sagt, zu Fuß gehen habe keinen Sinn, und Reiten sei eine Dummheit, in diesen Gegenden sei Fliegen unerlässlich. Vor Jahren hörtest du von ihm die ersten Pläne für einen Flug hin und zurück. Damals saß er genau wie du jetzt am Rand des Abgrunds und sah zum anderen Dorf hinüber, schlug sich mit der Hand aufs Knie und sagte:

«Schlimm ist nicht die Enge des Landes; schlimm ist, dass es so zerknittert ist. Berge und nochmals Berge vergrößern alle Entfernungen. Wenn dieser Staat flach gewalzt würde,

a Chihuahua … ¡Y ya vuelto llano a caminar más rápido! Pero así como estamos, sólo vueltos pájaros para volar quisiéramos.

Y así fue como la locura del vuelo se le fue colocando entre oreja y oreja a don Chico, como un sombrero de ensueño.

Volar fue la única pasión que le impulsaba en el día, a otro día, a otro mes, para seguir viviendo un año y otro año más. Si no fuera por el ansia del vuelo habría muerto de tristeza desde hace mucho tiempo, como tú me comentaste el otro día.

Don Chico subía, tú lo viste muchas veces, al cerro más alto para contemplar las distantes montañas azules y perdidas entre el vaho que viene de la selva. Allí, sentado en la piedra donde escribió su nombre, tú escuchaste muchas veces a don Chico:

– La tierra desde el aire está al alcance de la mano. Los caminos son más fáciles al vuelo. Qué cerca están los mercados y las plazas a ojo de pájaro. Los valles y los ríos y las cañadas y cañones, los campos sembrados, los ganados en potreros lejanos, las ciudades nuevas y las viejas construcciones perdidas en la selva, y al fondo el mar.

Don Chico inventaba una prodigiosa geografía expuesta a los ojos en vuelo, ávidos ojos tratando de reconocer ranchos y rancherías, vados y ríos, caminos, pueblos, lagos y montañas vistas desde arriba, desde el sueño, desde el aire de un sueño.

Don Chico regresa al pueblo, con la boca seca, abrasada por la fiebre de la aventura que le espesa la lengua, le ves llegar a la plaza y tomar de la fuente agua con las manos, enjuagarse, refrescarse la cara y declarar muy serio:

– Señoras y señores: voy a volar …

wäre er größer als Chihuahua … Und wenn er flach wäre, wie schnell käme man vorwärts! Aber so wie das Land ist, wünschten wir nur, Vögel zu werden, um fliegen zu können.»

So kam es, dass das Fliegen bei Don Chico sich als fixe Idee zwischen beiden Ohren festsetzte und als Traumziel sich wie ein Hut über seinen Kopf stülpte.

Fliegen war die einzige Leidenschaft, die ihn am Tag antrieb für einen weiteren Tag, einen weiteren Monat, damit er noch ein Jahr weiter leben würde und noch eins dazu. Ohne seine Sehnsucht zu fliegen wäre er schon längst vor Kummer gestorben, wie du mir kürzlich anvertrautest.

Don Chico stieg, du hast ihn oftmals gesehen, auf den höchsten Berg hinauf, um die fernen blauen Berge im Dunst der vom Urwald aufsteigenden Nebelschwaden zu betrachten. Wenn er dort oben auf einem Stein saß, auf den er seinen Namen geschrieben hatte, hörtest du ihn immer wieder sagen:

«Die Erde ist aus der Luft zum Greifen nahe. Im Flug sind die Wege leichter. Wie nahe sind die Märkte und Plätze aus der Vogelschau. Die Täler und Flüsse, die Abgründe und Schluchten, die Saat auf dem Ackerland, das Vieh auf fernen Weiden, die neuen Städte und die alten vergessenen Bauwerke im Urwald, und im Hintergrund das Meer.»

Don Chico erfand eine wunderbare Geografie, die sich den Augen während dem Flug darbot, den gierigen Augen, die versuchten, Bauernhäuser und Hütten zu erkennen, Furten und Flüsse, Wege, Dörfer, Seen und Berge von oben, aus der Traumwelt, aus der Luft der Traumwelt.

Don Chico kommt mit trockenem Mund ins Dorf zurück, das Feuer der Abenteuerlust versengt ihn, verklebt ihm die Zunge; du siehst ihn über den Platz gehen, mit der Hand Wasser schöpfen am Brunnen, den Mund spülen und das Gesicht erfrischen und ganz ernsthaft erklären:

«Meine Damen und Herren: ich werde fliegen …»

Recordarás cómo todos subimos y bajamos la cabeza para decirle que sí, que cómo no, que claro don Chico que vuela, y por dentro sentiste la risa alborotando el pecho y la barriga, y tú aguantándote.

Don Chico entró a su casa, cogió una gallina, la pesó minuciosamente, anotó la lectura de la báscula, le midió la distancia que va de punta a punta de las alas, anotó eso también, acarició a la gallina y la regresó al corral.

Inventó un complicado cálculo para conocer la secreta relación existente entre el peso del animal y el tamaño de las alas que permite vencer la gravedad y levantar el vuelo.

Don Chico dudó un instante si era adecuado tomar una gallina para tal experimento. Una paloma de vuelo largo habría sido mejor. Pero en su corral no había palomas.

Habiendo encontrado la fórmula que explica la relación entre el peso de la gallina de sus alas, se pesó él mismo, anotó la lectura y, aplicando la fórmula descubierta, calculó el tamaño de las alas que habría de construirse para poder volar. Apuntó la cifra en su libreta, se frotó las manos y se fue al parque.

El problema era ahora el diseño de las alas. Pensó que el mejor material era el carrizo, ligero y fuerte. Se detuvo un momento para dibujar con un palito sobre la tierra el esquema de su estructura. Satisfecho lo borró con el pie izquierdo y grabado en la memoria lo llevó a su casa.

Para recubrir la estructura nada mejor que el tejido del petate, la dúctil alfombra de palma.

Una vez que hubo construido las alas, descubrió molesto que eran pesadas para sus fuerzas. Recordó

Du wirst dich erinnern, dass wir alle den Kopf auf und ab bewegten, um zu bejahen, warum denn nicht? Don Chico wird fliegen, aber innerlich fühltest du das Lachen in die Brust und den Magen steigen, ohne dass du dir allerdings etwas anmerken ließest.

Don Chico ging nach Hause, nahm eine Henne, wog sie sehr genau, schrieb auf, was die Waage anzeigte, maß die Flügelspannweite von einer Spitze zur anderen, schrieb auch das auf, streichelte die Henne und trug sie dann wieder zu den anderen in den Hühnerhof zurück.

Er erfand eine umständliche mathematische Berechnung, um das verborgene Verhältnis zwischen Gewicht und Flügelspannweite zu ergründen, welches erlaubt, die Schwerkraft zu besiegen und zum Flug abzuheben.

Don Chico zweifelte kurze Zeit, ob es angezeigt sei, für ein solches Experiment eine Henne auszuwählen. Eine Brieftaube wäre besser gewesen. Aber in seinem Hühnerhof gab es keine Tauben.

Als er die Formel für das Verhältnis zwischen Gewicht und Flügelspannweite gefunden hatte, wog er sich selbst, schrieb das Gewicht auf und berechnete nach seiner Formel die Größe der Flügel, die es herzustellen galt, um fliegen zu können. Er schrieb die Zahl in sein Notizbüchlein, rieb sich die Hände und begab sich in den Park.

Schwierig war nun, die Machart der Flügel herauszufinden. Er dachte, das beste Material sei Pampagras, denn es war leicht und stark. Er brachte einige Zeit damit zu, mit einem Stecken das Muster für die Stützrippen in die Erde zu ritzen. Als er zufrieden war, wischte er es mit dem linken Fuß aus und trug es im Gedächtnis nach Hause.

Als Bedeckung für das Gerüst nichts Besseres als eine geschmeidige Palmfasermatte!

Als die Flügel fertig waren, merkte er zu seinem Ärger, dass sie für seine Kräfte viel zu schwer waren. Er dachte an

la relación entre las alas y el peso de la gallina y no se atrevió a modificarla.

Se suscribió a una revista sueca donde aparecían lecciones de gimnasia y dedicó algunos años a esta dura disciplina. Satisfecho sintió cómo aumentaban sus bíceps, crecían sus tríceps, se endurecían sus músculos abdominales, se marcaban nítidamente los dorsales y una potencia sentía nacer don Chico desde el centro de su cuerpo.

En el año sexto de su experimento movía con destreza las alas. Con sus brazos aleteaba movimientos llenos de gracia, en un simulacro de vuelo, no de gallina torpe sino de agilísima paloma.

En el pueblo había un orgullo compartido. Don Chico prometió volar antes de las fiestas patrias y se le invitaba a los patios a simular el arte complejo del vuelo. Acudía siempre hasta que descubrió que tales convivios no eran nacidos de la admiración a su técnica sino tan sólo del interés de producir ventarrones en el patio que barrieran de hojas y basura todo el piso.

Unos días antes de las fiestas patrias alguien levantó la cabeza. No se sabe si fue Ramón o Martín o Jesús el primero que lo vio. Lo que sí se sabe es que al instante todo el pueblo levantó la cabeza y vimos a don Chico arriba del campanario con las alas puestas, iniciando cauteloso el aleteo que habría de conducirlo a la gloria. Detenía a veces el movimiento, se mojaba con saliva el dedo y comprobaba la dirección del viento, abría de par en par las alas y descansaba la cabeza sobre el hombro, semejante a nuestro viejo escudo nacional. De pronto reinició el aleteo, arresortó la pierna derecha contra el muro del campanario para tomar impulso, apuntó el pie izquierdo hacia

das Verhältnis zwischen dem Gewicht der Henne und den Flügeln und wagte nicht, etwas daran zu verändern.

Er abonnierte eine schwedische Zeitschrift, wo Gymnastikübungen beschrieben wurden, und widmete einige Jahre dieser anstrengenden Beschäftigung. Befriedigt nahm er zur Kenntnis, dass seine Bizeps größer wurden, seine Trizeps wuchsen, seine Bauchmuskeln sich härteten, seine Rückenmuskeln sich deutlich abzeichneten, und aus der Mitte seines Leibes spürte er neue Unternehmungslust strömen.

Im sechsten Jahr seiner Versuche bewegte er geschickt die Flügel. Mit den Armen vollführte er anmutige Flügelschläge, nicht in Nachahmung einer tolpatschigen Henne, sondern eher einer flinken Taube.

Das Dorf verfolgte mit Stolz diese Fortschritte. Don Chico versprach, noch vor den Nationalfeiertagen zu fliegen, und er wurde zu den Nachbarschaftstreffen in die Innenhöfe eingeladen, um den Leuten die schwierige Kunst des Fliegens zu erklären und vorzuführen. Er ging immer hin, bis er merkte, dass solche Treffen nicht aus Bewunderung für seine neue Technik veranstaltet wurden, sondern einzig zum Zweck, dass der Luftzug Laub und Unrat vom Boden wegwirble.

Einige Tage vor den Nationalfeiertagen hob jemand den Kopf. Es ist nicht bekannt, ob Ramón oder Martín oder Jesús der erste war, der es sah. Aber allgemein bekannt ist die Tatsache, dass augenblicklich das ganze Dorf den Kopf hob, und wir alle sahen Don Chico oben auf dem Kirchturm mit angeschnallten Flügeln: behutsam fing er mit den Flügelschlägen an, die ihn zum Ruhme führen sollten. Manchmal hielt er mit den Bewegungen inne, netzte den Finger mit Speichel, um die Windrichtung zu überprüfen, spannte seine Flügel weit aus und ließ den Kopf auf der Schulter ruhen, ganz wie der Adler auf unserem alten Staatswappen. Auf einmal schlug er wieder mit den Flügeln, stützte den rechten Fuß an der Turmmauer ab, um gut abstoßen zu können, stellte die linke Fußspitze in

El Porvenir*, que tal era el nombre de la cantina que está enfrente de la iglesia, y se dispuso a iniciar la epopeya. Alguien le preguntó tocándole la punta del ala izquierda:

— ¿Va usted a volar, don Chico?

— Seguro, respondió.

— ¿Y … llegará lejos, don Chico?

— Lejísimo.

— ¿Y de altura, don Chico?

— Altísimo.

— ¿Al cielo llegará, don Chico?

— Al cielo mismo.

La cara de aquel que preguntaba se iluminó:

— Por vida suya, don Chico, llévele al cielo este queso a mi mamá que se murió con el antojo.

Don Chico aceptó con ligereza el queso, buscando deshacerse del impertinente sin considerar el error que había cometido. No se sabe si fue Ramón o Martín o Jesús, el primero que hizo el encargo al otro mundo. Lo que sí se sabe es que al instante todo el pueblo subió al campanario y don Chico siguió aceptando quesos y chorizos, dulces y aguardiente, tostadas y jamones para llevar al cielo.

Cuando don Chico resorteó la pierna derecha, siguiendo la dirección de *El Porvenir*, abrió el espectáculo grandioso de sus alas. El pueblo escuchó el estruendo de carrizos rompiéndose y petates rasgándose en el aire y quesos rodando por la calle.

Cuando el silencio volvió, alguien dijo:

— Lo mató el sobrepeso. Si no fuera por los encarguitos, don Chico vuela.

Richtung «El Porvenir», das war der Name der Kantine gegenüber der Kirche, und machte sich für den Flug ins Ungewisse bereit. Jemand berührte seine linke Flügelspitze und fragte:

«Wollen Sie nun fliegen, Don Chico?»

«Natürlich», antwortete er.

«Und … weit fort, Don Chico?»

«Sehr weit.»

«Und wie hoch?»

«Sehr hoch.»

«Werden Sie bis zum Himmel fliegen?»

«Bis in den Himmel hinein.»

Das Gesicht des Fragers begann zu leuchten:

«Bei Ihrem Leben, Don Chico, nehmen Sie doch diesen Käse für meine Mama mit, sie starb mit dem Gelüste auf ihn.»

Don Chico nahm den Käse bereitwillig entgegen, um den aufdringlichen Kerl los zu werden, ohne zu bedenken, was für einen Fehler er damit beging. Es ist nicht bekannt, ob Ramón oder Martín oder Jesús der erste war, der einen Auftrag für das Jenseits mitgab. Aber allgemein bekannt ist, dass augenblicklich das ganze Dorf auf den Kirchturm stieg und dass Don Chico weiterhin bereitwillig Käse und Rauchwürste entgegennahm, Süßigkeiten und Branntwein, Maisknusper und Rauchschinken, um alles in den Himmel zu tragen.

Als Don Chico mit dem rechten Fuß in Richtung «El Porvenir» abstieß, spannte er seine Flügel zu einem großartigen Anblick aus. Die Leute hörten in der Luft das Pampagras knacken und die Palmfasermatten reißen und sahen die Käselaibe über die Straße rollen.

In das allgemeinde Schweigen hinein sagte jemand:

«Das Übergewicht hat ihn getötet. Ohne die Mitbringsel würde Don Chico fliegen.»

José Emilio Pacheco
Tarde de agosto

Nunca vas a olvidar esa tarde de agosto. Tienes catorce años y estás en secundaria. Tu padre ha muerto, tu madre trabaja en una agencia de viajes. Ella te despierta a las siete. Queda atrás el sueño de combates en la selva, desembarcos en islas enemigas. Entras en el día en que es preciso ir a la escuela, crecer, abandonar la infancia.

Por la noche, al terminar la cena, las tareas, la hora compartida ante el televisor, te encierras a leer los libros de la Colección Bazooka, esas novelitas de la Segunda Guerra Mundial que transforman en hechos heroicos los horrores del campo de batalla. En la Colección Bazooka siempre hay una mujer que recompensa son su amor a quien esté dispuesto a dar la vida por la causa.

De lunes a viernes el trabajo de tu madre te obliga a comer en casa de su hermano. Es hosco, te hace sentir intruso y exige un pago mensual por tus alimentos. Sin embargo, todo lo compensa la presencia de Julia. Tu prima estudia ciencias químicas, te ayuda en las materias más difíciles de la secundaria, te presta discos. Es la única que te toma en cuenta, sin duda, por compasión a quien ve como el niño, el huérfano, el sin derecho a nada. Piensas: Julia no puede amarme. Nos separan seis años y el ser primos hermanos.

Un día te presenta a un compañero de la Universidad, el primer novio a quien se permite visitarla en su casa. Pedro te desprecia y te considera un estorbo. Destruye la relación establecida con Julia. Ahora no

José Emilio Pacheco
Augustnachmittag

Nie mehr wirst du diesen Augustnachmittag vergessen. Du
bist vierzehn Jahre alt und gehst in die Mittelschule. Dein
Vater ist gestorben, deine Mutter arbeitet in einem Reisebüro.
Sie weckt dich um sieben Uhr. Vorbei sind die Träume von
Urwaldkämpfen und Landungen auf feindlichen Inseln. Du
kommst in das Alter, wo es heißt: zur Schule gehen, wach-
sen, die Kindheit abstreifen.

   Nach dem Abendessen, den Schulaufgaben, der gemeinsam
verbrachten Stunde vor dem Fernseher schließt du dich ein
und liest die Bücher aus der Bazookareihe, die Geschichten
aus dem Zweiten Weltkrieg, wo die Schrecken des Schlacht-
feldes zu Heldentaten umgestaltet werden. In der Bazookareihe gibt es immer eine Frau, die mit ihrer Liebe die Männer
beglückt, die bereit sind, für die gute Sache zu sterben.

   Von Montag bis Freitag musst du wegen der Arbeit deiner
Mutter bei ihrem Bruder essen. Er ist ein finsterer Mensch,
lässt dich spüren, dass du ein Eindringling bist und verlangt
eine monatliche Entschädigung für das Essen. Aber die Gegenwart deiner Kusine Julia wiegt das alles auf. Sie studiert
Chemie, hilft dir bei den schwierigen Schulfächern, leiht dir
Platten aus. Sie ist die einzige, die dich beachtet, sicher aus
Mitleid, weil sie dich als Kind sieht, als Waisenknaben, der
keinerlei Rechte hat. Du denkst: Julia kann mich nicht lieben.
Uns trennen sechs Jahre, und wir sind Vetter und Kusine
ersten Grades.

   Eines Tages stellt sie dir einen Kameraden von der Universität vor, ihren ersten Freund, der die Erlaubnis hat, zu ihr
nach Hause zu kommen. Pedro verachtet dich und findet dich
lästig. Er zerstört die Beziehung, die zwischen dir und Julia

tiene tiempo de vigilar tus tareas ni hablan de discos ni van al cine. No sientes rencor hacia ella, te limitas a odiar a Pedro.

Aquella tarde en que Julia cumple veinte años, cuando se levantan de la horrible comida de aniversario, Pedro la invita a pasear por los alrededores de la ciudad. Te ordenan acompañarlos. Suben al coche. Te hundes en el asiento posterior. Julia se reclina en el hombro de Pedro. Él la abraza y maneja con la izquierda. La música trepida en la radio del automóvil. El sol de las cuatro te parece una ofensa más. Pasan los cementerios y los últimos lugares habitados. Para no ver que Julia besa a Pedro y se deja acariciar, miras los árboles a orillas de la carretera: cipreses, oyameles, pinos desgarrados por la luz del verano.

Se detienen ante el convento perdido en la soledad de la montaña. Bajas con ellos y caminan por corredores y galerías desiertas. Se asoman a la escalinata de un subterráneo en tinieblas. Se hablan y escuchan (ellos, no tú) en los huecos de una capilla que trasmite susurros de una esquina a otra. Y mientras Julia y Pedro pasean por los jardines tú que no tienes nombre y no eres nadie inscribes en la pared cubierta de moho: *Julia, 19 de agosto, 1954*.

Salen de las ruinas del monasterio, se internan en el bosque húmedo, bajan hasta un arroyo de aguas heladas. Un letrero prohibe cortar flores y molestar a los animales. El bosque es un parque nacional. Quien desobedezca recibirá su castigo.

Vibran las frondas con el aire que revive tus sueños. Por un instante vuelves a ser el héroe de la Colección Bazooka, el vencedor o el dorrotado de Narvik, Tobruk, Midway, Iwo Jima, El Alamein,

entstanden ist. Jetzt hat sie keine Zeit mehr, deine Hausaufgaben nachzuschauen, sie reden auch nicht über Platten noch
gehen sie ins Kino. Du hegst keinen Groll gegen sie, es genügt
dir, Pedro zu hassen.

An Julias zwanzigstem Geburtstag lädt Pedro sie nach dem
schrecklichen Festessen zu einem Spaziergang in die Um-
gebung der Stadt ein. Sie befehlen dir mitzukommen. Sie
steigen in den Wagen ein. Du versinkst im Rücksitz. Julia
lehnt sich an Pedros Schulter. Er umarmt sie und steuert mit
der Linken. Musik dröhnt aus dem Autoradio. Die Vier-Uhr-
Sonne empfindest du als weitere Beleidigung. Sie fahren
an Friedhöfen vorbei und an den letzten bewohnten Orten.
Um nicht zu sehen, dass Julia Pedro küsst und sich von ihm
streicheln lässt, schaust du die Bäume am Straßenrand an:
Zypressen, Oyamatle-Tannen, Pinien, die von der Sommer-
sonne arg mitgenommen sind.

Sie halten vor dem verlassenen Kloster in der Bergeinöde
an. Du steigst mit ihnen aus, und sie spazieren auf einsamen
Wegen und Alleen. Sie schauen eine Treppe hinunter, die
in dunkle Tiefen führt. Sie sprechen und hören dann zu (die
beiden, nicht du), wie in den leeren Gewölben einer Kapelle
das Wispern von einer Ecke in die andere getragen wird.
Während Julia und Pedro in den Parkanlagen spazieren,
schreibst du, der du keinen Namen hast und niemand bist,
auf eine schimmelige Mauer: Julia, 19. August 1954.

Sie kommen aus dem zerfallenen Kloster wieder heraus,
gehen tiefer in den feuchten Wald hinein, gehen bis zu einem
eiskalten Bächlein hinunter. Ein Schild verbietet das Blumen-
pflücken und das Stören der Tiere. Der Wald ist Naturschutz-
gebiet. Zuwiderhandelnde werden bestraft.

Der Wind säuselt im Laub und weckt deine Träume wieder.
Für eine Weile bist du nochmals der Held der Bazookareihe,
der Sieger oder Verlierer von Narvik, Tobruk, Midway, Iwo
Jima, El Alamein, Stalingrad, Warschau, Monte Cassino, den

Stalingrado, Varsovia, Monte Cassino, Las Ardenas
… Te imaginas combatiente en la caballería polaca o
en el Afrika Korps, soldado capaz de actos heroicos
que una mujer premiará con su amor.

Julia descubre una ardilla en la punta de un árbol.
Me gustaría llevármela, dice. Las ardillas no se dejan
atrapar, contesta Pedro, y si alguien lo intenta hay
guardabosques para impedirlo y encarcelar a quien
se atreva.

Yo la agarro, aseguras sin pensarlo, y te subes al
árbol a pesar de que Julia quiere detenerte. La corteza
hiere tus manos, la resina te hace resbalar. La ardilla
asciende aun más alto. La sigues hasta poner los pies
en una rama. Miras hacia abajo y ves acercarse al
guardabosques y a Pedro que se pone a hacerle conversación. El guardabosques no alza la mirada hacia
el árbol en que estás inmóvil y oculto a medias en
el follaje.

Julia intenta no traicionarte con la vista. Pedro
tampoco te delata: se propone algo más cruel. Retie-
ne al guardabosques con pregunta tras pregunta, le
da algunos billetes, lo deja hablar y hablar de sí mismo, quejarse de los paseantes y de lo poco que gana.
Así te impide el triunfo y prolonga tu humillación.

Han pasado diez o quince minutos. La rama empieza a ceder bajo tu peso. Sientes miedo de caer
desde esa altura y morir ante Julia o romperte los
huesos y quedar inválido para siempre. O de otro
modo, darte por vencido, dejar que el guardabosques te lleve preso.

Atrapado por Pedro, el guardabosques no se va.
La ardilla te desafía a medio metro de la rama cru-
jiente. En seguida baja por el tronco con una agilidad que nunca será tuya y corre a perderse en el

Ardennen ... Du siehst dich in der polnischen Kavallerie mitreiten, im Afrikakorps kämpfen, traust dir Heldentaten zu, die eine Frau mit ihrer Liebe belohnen wird.

Julia entdeckt ein Eichhörnchen auf einem Baumwipfel. Ich möchte es gern mitnehmen, sagt sie. Eichhörnchen lassen sich nicht fangen, sagt Pedro, und wenn es jemand versucht, gibt es Parkwärter, um es zu verhindern und jeden einzusperren, der es wagen sollte.

Ich erwische es, sagst du, ohne zu überlegen, und kletterst auf den Baum, obwohl dich Julia zurückhalten will. Die Rinde schürft deine Hände auf, das Harz ist rutschig. Das Eichhörnchen klettert immer höher hinauf. Du steigst ihm nach, bis du die Füße auf einen Ast stellen kannst. Du schaust hinunter und siehst, dass der Parkwärter kommt und Pedro mit ihm ein Gespräch anfängt. Der Wärter schaut nicht in den Baum hinauf, wo du so gut als möglich im Laub verborgen regungslos ausharrst.

Julia bemüht sich, dich nicht mit Blicken zu verraten. Pedro plaudert auch nichts aus: er hat einen grausameren Plan. Er hält den Wärter mit immer neuen Fragen auf, gibt ihm ein paar Geldscheine, lässt ihn reden, von sich selbst erzählen, sich über die Besucher beklagen und über seinen geringen Lohn. So macht er deinen Triumph unmöglich und verlängert deine Demütigung.

Zehn Minuten sind vergangen, oder eine Viertelstunde. Der Ast gibt unter deinem Gewicht allmählich nach. Du fürchtest, aus dieser Höhe hinunterzufallen und vor Julias Füßen zu sterben oder dir die Knochen zu brechen und für immer behindert zu sein. Andernfalls müsstest du dich geschlagen geben und vom Parkwärter abführen lassen.

Von Pedro mit Beschlag belegt, geht der Wärter nicht weg. Das Eichhörnchen neckt dich einen halben Meter vom knackenden Ast entfernt. Und gleich huscht es so behend den Stamm hinab, wie du es niemals könntest, springt weg

bosque. Julia se ha soltado a llorar, lejos del guardabosques y de la ardilla pero de ti más lejos e imposible.

Al fin el guardabosques agradece la propina de
Pedro, se despide y vuelve al convento. Entonces
bajas, muerto de miedo, pálido, torpe, humillado,
con lágrimas. Pedro se ríe de ti. Julia no llora: le
reclama y lo llama estúpido.

Suben otra vez al automóvil. Julia no se deja
abrazar pro Pedro y nadie habla de nada una palabra. Bajas en cuanto llegan a la ciudad, caminas
sin rumbo muchas horas y al llegar le cuentas a
tu madre lo que ocurrió en el bosque y subes a la
azotea y quemas en el boiler la Colección Bazooka. Pero no olvidas nunca esa tarde de agosto.

Esa tarde, la última en que tú viste a Julia.

und verschwindet im Wald. Julia fängt an zu weinen, weit weg vom Wärter und vom Eichhörnchen, noch weiter weg von dir – unerreichbar.

Endlich dankt der Parkwärter Pedro für das Trinkgeld, verabschiedet sich und geht zum Kloster. Nun steigst du hinunter, schlotternd vor Angst und blass, gedemütigt, mit Tränen in den Augen. Pedro lacht dich aus. Julia weint nicht mehr: sie schilt ihn und heißt ihn einen Dummkopf.

Sie steigen wieder in den Wagen. Julia lässt sich von Pedro nicht mehr umarmen, und niemand redet auch nur ein einziges Wort. Du steigst aus, sobald die Stadt erreicht ist, schlenderst stundenlang ziellos umher, und zu Hause erzählst du der Mutter, was im Wald vorgefallen ist, steigst aufs Dach und verbrennst dort oben die ganze Baszookareihe. Aber diesen Augustnachmittag vergisst du nicht mehr.

An diesem Nachmittag hast du Julia zuletzt gesehen.

Jesús Gardea
Los visitantes

Hacia las doce, escuchamos los golpes. Como true-
nos, dos primero. Luego, el resto. Arévalo y yo, nos
mirábamos. Y después, la vista a la ventana. Estaba
entera la luz del sol. Nada había que la nublara.
Seguía pareja la intensidad de los golpes. Como de
grandes burbujas profundas reventando su ruido.
Se levantaba Arévalo de su escritorio a cerrar la
ventana. Regresaba a sentarse. Las teclas de su máquina apenas se oían. Yo consultaba el reloj, que
nos miraba desde una pared como el ojo de un
idiota. Continuaba tecleando Arévalo. Temblaban
los vidrios en la ventana. Yo, imposible, no podía
dar un solo teclazo. Decidía levantarme, abrir la
ventana, ver de dónde, los golpes. Pero entonces,
cesaban. Arévalo alzaba la vista, me miraba como
agradecido:

– Debo terminar esto.

Y mirando rápido, comprobaba la hora en el
reloj. Yo me quedaba pensativo, las manos abando-
nadas sobre el teclado. Me parecía que los golpes
no habían sido dados al acaso. Habían sido como
ordenados en el tiempo, distribuidos a intervalos
regulares. Me imaginaba la calle, las casas vecinas
o el cielo azul. Los golpes habían caído como rodando desde muy arriba. Sabía de relámpagos en
seco, en el campo; no en la ciudad. Volvía a mirar
a Arévalo. Como si pisaran ascuas trabajaban
sus dedos.

– Hace calor.

Jesús Gardea
Der Besuch

Gegen zwölf Uhr hörten wir das Klopfen. Zuerst zweimal,
wie Donnerschläge. Dann die weiteren. Wir schauten uns
an; Arévalo und ich. Dann der Blick zum Fenster. Die
Sonne schien voll herein. Nichts trübte ihren Glanz. Dazu das immer gleich laute Klopfen. Als ob Luftblasen aus
großer Tiefe knallend zerplatzten. Arévalo stand von seinem Schreibtisch auf und schloss das Fenster. Er kam zurück
und setzte sich wieder. Das Klappern seiner Schreibmaschine
war kaum zu hören. Ich schaute auf die Uhr, die uns von
der Wand herunter wie ein dummes Auge anglotzte. Arévalo
schrieb weiter. Die Fensterscheiben zitterten. Ich hingegen
konnte keine einzige Taste mehr anschlagen, unmöglich.
Ich beschloss aufzustehen, das Fenster zu öffnen und zu
schauen, woher das Klopfen komme. Aber dann hörte es
auf. Arévalo hob den Kopf und schaute mich irgendwie
dankbar an:

«Ich muss das fertig machen.»

Mit einem raschen Blick auf die Uhr vergewisserte er
sich, wie spät es war. Mit den Fingern auf den Tasten saß
ich nachdenklich da. Ich fand, das Klopfen sei nicht zufällig
gewesen. Es hatte eine geordnete Abfolge gehabt, war regel-
mäßig über den Zeitabschnitt verteilt gewesen. Ich stellte
mir die Straße vor, die Nachbarhäuser oder den blauen Himmel. Das Klopfen hörte sich an, als wäre es von hoch oben
herabgekollert. Ich wusste von Blitzschlägen ohne Regen,
aber auf dem Land, nicht in der Stadt. Ich schaute Arévalo
nochmals an. Seine Finger arbeiteten, als berührten sie
glühende Kohlen.

«Es ist heiß.»

Sin detenerse, Arévalo:

– Abra la ventana si quiere, Estéves.

Me leventaba a abrirla. Aunque era verano, una brisa, un soplo en la cara y el pecho. Me asomaba a la calle, muerta. Como deshuesada. Un hervor la banqueta, otro, el asfalto. Miraba al cielo. El aire del cielo se presentaba entero a mi vista. Comenzaba a observarlo detenidamente. En vano. Detrás mío, la máquina de Arévalo desmenuzaba el silencio de la oficina. El cielo tenía rincones. De pronto, en el que se hallaba a mi derecha, algo descubría. Entrecerraba los ojos. Aquello me daba miedo. Espichado, volvía a mi escritorio, tomaba un papel cualquiera, simulaba leerlo. Por vez primera, el ruido que hacía Arévalo me resultaba intolerable. Alzaba yo la vista del papel. Arévalo escribía a gran velocidad. El demonio. Mentalmente le deseaba que la máquina le explotara. Que sus dedos terribles salieran volando como muñecos. Mi deseo se cumplía de un modo distinto. Arévalo, de repente, se había detenido, el sudor le mojaba la cara.

– ¿Terminó usted?

Arévalo me miraba, tenía los ojos embotados.

– No. Es la sed.

Levantándose, iba directo al botellón de agua, llenaba y se empinaba varios vasos. Quedaba como atontado. De regreso en el escritorio, sacudía la cabeza.

– Estéves, ¿qué sonaba?

A boca de jarro, la pregunta me sorprendía. Además, Arévalo la había hecho como si ya supiera él lo que yo tenía que contestarle. Arévalo esperaba unos segundos inútilmente la respuesta; luego, él mismo:

Ohne Unterbrechung Arévalo:

«Mach das Fenster auf, wenn du willst, Estéves.»

Ich stand auf und öffnete es. Obwohl es Sommer war, blies mir der Wind ins Gesicht und gegen die Brust. Ich schaute auf die Straße hinunter – ausgestorben. Wie ausgebeint. Glühend heiß der Gehsteig, ebenso der Asphalt. Ich schaute zum Himmel empor. Nichts in der Luft beeinträchtigte den Blick zum Himmel. Ich ließ mir Zeit, ihn gründlich abzusuchen. Vergeblich. Hinter mir wurde die Stille des Büros von Arévalos Schreibmaschine zerstückelt. Der Himmel hatte versteckte Winkel. Auf einmal entdeckte ich etwas rechts von mir. Ich kniff die Augen zu. Es jagte mir Angst ein. Erschrocken ging ich zu meinem Schreibtisch, nahm irgendein Papier in die Hand und tat, als ob ich lese. Zum ersten Mal empfand ich das Geräusch von Arévalos Schreibmaschine als unerträglich. Ich schaute von meinem Papier auf. Arévalo schrieb mit großer Geschwindigkeit. Ein Teufel. Im Geist wünschte ich, seine Maschine möchte zerspringen. Seine schrecklichen Finger möchten wie leblose Figuren davonfliegen. Mein Wunsch erfüllte sich auf andere Weise. Mit einem Mal hatte Arévalo inne gehalten, sein Gesicht war schweißnass.

«Sind Sie fertig?»

Arévalo schaute mich an, sein Blick war stumpf.

«Nein, ich habe Durst.»

Er stand auf, ging schnurstracks zum Wasserkrug und füllte und trank ein Glas nach dem anderen. Er stand wie betäubt da. Als er wieder am Schreibtisch war, schüttelte er den Kopf.

«Estéves, was hat da so geklopft?»

So unvermittelt überraschte mich die Frage. Überdies hatte er sie so gestellt, als wüsste er schon, was ich darauf zu antworten hätte. Arévalo wartete einige Sekunden vergeblich auf meine Auskunft; dann sagte er selbst:

– No fueron los vecinos.

Arévalo ahora tecleaba más fuerte que antes. Su máquina, una viva tembladera. Irradiaba, Arévalo, una luz que nada tenía que ver con la del sol. Opacaba las cosas cercanas a él. Lo envolvía en una especie de capullo. Adentro, Arévalo se encorvaba, perdía pelo. Tomaba su piel el color de los papeles viejos. Cuando el carro de la máquina llegaba al tope, lo devolvía Arévalo, empuñaba un leño a una estufa. Entonces notaba yo en la oficina cómo aumentaba el calor. El reloj marcaba la una de la tarde. Estaba pálido Arévalo y la vida se le iba por el sudor.

– Es hora de comer.

Al oírme, Arévalo levantaba la vista.

– Hoy no iré a comer, Estéves.

La voz de Arévalo subía de un infierno. Se me ocurría pensar que él, para impresionarme, sudaba a propósito.

– Usted sabe. Sacrificio inútil. A nadie le interesa nada nuestro trabajo.

Calaban mis palabras en Arévalo. Arévalo suspendía en el aire, unos segundos, las manos. Luego, volvía a dejarlas caer en el teclado. Me levantaba yo, pasaba delante del escritorio de Arévalo, salía a la calle. Afuera me recibía un sol extremoso. El primero con tanta fuerza en todo el verano. Quizá lo había desquiciado Arévalo, sus teclazos como tábanos. Procuraba escapar yo a su furia caminando por un hilo de sombra. Procuraba no llamar su atención. Hacía altos breves, paradas pequeñas, en los huecos de las puertas. En la esquina, aún era audible la máquina de Arévalo. Desde el aire, el ruido de la máquina y el sol, me acosaban. Ya para llegar al restaurant, los últimos

«Es waren nicht die Nachbarn.»

Arévalo hämmerte jetzt noch lauter als vorher. Seine Maschine zitterte wie lebendig. Es ging ein Leuchten von Arévalo aus, das mit der Sonne nichts zu tun hatte. Es verdunkelte die Gegenstände in seiner Nähe. Es umhüllte ihn wie ein Kokon. Dadrinnen schrumpfte Arévalo ein, verlor Haare. Seine Haut vergilbte wie altes Papier. Wenn der Wagen der Maschine am Rand anstieß, schob er ihn wieder zurück. Es war, als lege er ein Scheit in den Ofen. Jedesmal spürte ich es heißer werden im Büro. Die Uhr zeigte schon ein Uhr nachmittags. Arévalo war bleich, und mit dem Schweiß zerrann sein Leben.

«Es ist Zeit zum Essen.»

Als Arévalo mich hörte, hob er den Kopf.

«Heute gehe ich nicht essen, Estéves.»

Arévalos Stimme stieg aus einer Hölle auf. Es ging mir durch den Kopf, er könnte vielleicht absichtlich schwitzen, um mich zu beeindrucken.

«Sie wissen doch. Unnötige Aufopferung. Unsere Arbeit bedeutet niemandem etwas.»

Meine Worte drangen Arévalo unter die Haut. Seine Hände blieben in der Luft. Erst nach einigen Sekunden ließ er sie wieder auf die Tasten fallen. Dafür stand ich auf, ging an Arévalos Schreibtisch vorbei und dann auf die Straße hinaus. Draußen schlug mir die Sonnenglut entgegen. Erstmals in diesem Jahr mit solcher Wucht. Vielleicht war sie von Arévalo entfesselt worden, von seinem Gehämmer, das wie Bremsenstiche schmerzte. Ich versuchte, ihrer Wut zu entkommen, indem ich mich an einen schmalen Schattenstreifen hielt. Ich bemühte mich, nicht aufzufallen. Ich blieb immer wieder kurz stehen, machte in Türöffnungen kleine Pausen. An der Straßenecke war Arévalos Maschine immer noch zu hören. Ich fühlte mich aus der Luft verfolgt vom Schreibmaschinengeklapper und von der Sonne. Um mög-

metros, casi corriendo. Había, como nunca, muchos lugares vacíos. Me dirigía a nuestra mesa de siempre, me sentaba. Un rato después, comenzaba a comer y a pensar en Arévalo. Muchísimo había escrito Arévalo ese mediodía, pero, ni una sola vez, que yo lo viera, había él cambiado de hoja. O la máquina no tenía cinta o Arévalo, de plano, había enloquecido. Atacaba yo el postre. La cucharita en el dulce, lo paladeaba. Era el más antiguo de los oficinistas Arévalo. Sin rastro de huellas digitales. Aseguraba Arévalo que, aparte de él, únicamente, demonios y ángeles no las tenían. Como una mina de polvo era el traje de Arévalo. No polvo del mundo, sino interior. Escapaba en hilillos, por las costuras del saco y del pantalón, por las mangas cuando se las agitaba demasiado. Perpetuamente en ruinas el hombre oculto del mecanógrafo Arévalo. El postre se había terminado, bebía yo unos tragos de agua, y volvía a la calle. Había crecido la sombra. Franja ancha, permitía andar por ella sin tener que esconderse de los rayos del sol. Me quemaba la lumbre del piso los zapatos. El ruido de la máquina de Arévalo seguía en el aire, pero apagado, como sofocado por un biombo. Me acercaba a la oficina. Me iba naciendo miedo de encontrarme de nuevo con Arévalo. La puerta de la oficina echaba calor como la puerta de un horno. La abría despacio. Entraba. Arévalo estaba acompañado. Cuatro hombres, detrás de él, lo miraban escribir, teclear. Ni Arévalo ni los otros daban muestras de notar mi presencia. Llevaban los hombres el cabello untado al cráneo. Cabello negro, brillante. De traje, corbata y camisa oscuros, me recordaban deudos funerarios. Me asaltaba la

lichst schnell im Restaurant zu sein, rannte ich die letzten
Meter beinahe. Anders als sonst waren viele Plätze leer.
Ich ging zu unserm gewohnten Tisch und setzte mich. Eine
Weile danach fing ich an zu essen und dachte an Arévalo.
Unglaublich viel hatte Arévalo an diesem Mittag geschrieben,
aber kein einziges Mal hatte ich gesehen, dass er ein neues
Blatt einspannte. Entweder hatte die Maschine kein Farbband,
oder Arévalo war Knall und Fall verrückt geworden. Ich
machte mich an den Nachtisch, steckte den Löffel in die
Süßspeise, ließ sie auf der Zunge zergehen. Arévalo war
der Dienstälteste der Büroangestellten. Ohne eine Spur von
Fingerabdrücken. Arévalo versicherte, dass außer ihm nur
Teufel und Engel keine hinterließen. Wie eine Staubmine
war Arévalos Anzug. Nicht irdischer Staub, sondern innerer.
Er spritzte ganz fein durch die Nähte des Kittels und der
Hosen, auch aus den Ärmeln, wenn er sie zu sehr schüttelte.
Andauernd abgebrannt die undurchdringliche Gestalt des
Schreiberlings Arévalo. Der Nachtisch war aufgegessen,
ich trank noch einige Schlucke Wasser und ging wieder
auf die Straße hinaus. Die Schatten waren gewachsen. Ein
breiter Streifen erlaubte mir den Rückweg, ohne mich vor
der Sonne verstecken zu müssen. Die Hitze des Straßen-
belags brannte durch meine Schuhsolen. Das Geklapper von
Arévalos Schreibmaschine stand immer noch in der Luft,
aber gedämpft, wie hinter einer spanischen Wand. Ich kam
dem Büro näher. Angst keimte in mir auf, Arévalo wieder
zu begegnen. Die Bürotür verströmte Hitze wie ein Ofen.
Ich öffnete langsam, trat ein. Arévalo war nicht allein. Vier
Männer hinter ihm schauten, wie er schrieb, auf die Tasten
drückte. Weder Arévalo noch die anderen gaben zu erkennen, dass sie meine Gegenwart bemerkten. Die vier Männer
trugen ihr Haar streng an den Schädel geklebt. Es glänzte
schwarz. Ihre Kleidung, dunkle Krawatte und dunkles Hemd,
erinnerte mich an Angestellte eines Beerdigungsinstituts.

idea de huir. Entonces, Arévalo, dejando la máquina en paz, levantaba la vista y me miraba. Con un dedo apuntaba hacia mí.

– Él es.

Der Gedanke zu fliehen überfiel mich. Da ließ Arévalo seine Maschine in Frieden, hob die Augen und schaute mich an. Mit einem Finger zeigte er auf mich:

«Der ist es.»

Agustín Monsreal
Un solo amor no basta

(Buenas noches. ¿Está esperando a Irene? No vendrá. La maté esta tarde. Supe que me engañaba con usted y la maté. No tema. No he venido a derramar más sangre. Vine a tratar de explicarle por qué lo hice. Sé que usted también la amaba, y que a partir de hoy estará tan solo como yo en el mundo. No hay dicha que no se pague finalmente con la soledad. Es una sentencia inapelable. La dicha, lo mismo que el amor, se acaba con el tiempo o con la muerte. Pocos son los que la alcanzan, en realidad, porque es muy difícil para la naturaleza humana distinguir entre la autenticidad y el remedo, y unos cuantos nada más los que logran, después de conocerla, salvarse de la desgracia. Dije hace un momento que Irene me engañaba con usted. Pero engañar es una palabra sucia y sin sentido en este caso. Irene habló de amor, de dicha.)

Bebo con lentitud un sorbo de café frío, desagradable. Mis ojos miden, largamente y con aplicación, cómo crece la ceniza del cigarro abandonado. Levanto la vista, con flojedad, con un principio de desesperanza, hacia la entrada de la cafetería. Acude a mi memoria aquella inusitada frase de Borges: «Me duele una mujer en todo el cuerpo». Trato de evitar sentirme infeliz, tenerme lástima.

(¿Pensó usted alguna vez en matar a Irene? ¿La imaginó muerta alguna vez? Todo el que ama suele padecer este tipo de lucubraciones. Pero qué dis-

Agustín Monsreal
Eine einzige Liebe genügt nicht

(Guten Abend. Warten Sie auf Irene? Sie kommt nicht. Ich
habe sie heute nachmittag umgebracht. Ich erfuhr, dass sie
mich mit Ihnen betrogen hat und tötete sie. Fürchten Sie
nichts. Ich bin nicht gekommen, um noch mehr Blut zu ver-
gießen. Ich bin hier, um den Versuch zu machen, Ihnen zu
erklären, warum ich es getan habe. Ich weiß, dass Sie sie
auch liebten, und dass Sie von heute an genau so allein auf
der Welt sein werden wie ich. Es gibt kein Glück, das man
am Ende nicht mit Einsamkeit zahlt. Es ist ein unumstöß-
licher Satz. Das Glück, genau wie die Liebe, endet mit der
Zeit oder mit dem Tod. Wenige erreichen es tatsächlich,
denn es ist für die menschliche Natur sehr schwierig, zwischen Echtheit und Nachahmung zu unterscheiden, und nur
einigen wenigen gelingt es, nachdem sie das Glück kennen
gelernt haben, sich vor dem Unglück zu retten. Soeben habe
ich gesagt, dass Irene mich mit Ihnen betrogen hat. Aber
betrügen ist ein schmutziges Wort und in diesem Fall sinn-
los. Irene hat von Liebe, von Glück gesprochen.)

Ich trinke langsam einen Schluck kalten Kaffee, unangenehm. Meine Augen messen lange und mit Hingabe die
wachsende Asche der liegengelassenen Zigarette. Ich richte
mein Auge träge, mit einem Anflug von Hoffnungslosigkeit,
auf den Eingang des Cafés. Ein ungewöhnlicher Satz von
Borges kommt mir in den Sinn: «Mich schmerzt eine Frau
im ganzen Körper». Ich gebe mir alle Mühe, mich nicht un-
glücklich zu fühlen, kein Mitleid mit mir selbst zu haben.

(Haben sie jemals daran gedacht, Irene umzubringen? Haben Sie sich einmal vorgestellt, wie sie als Leiche aussieht?
Jeder, der liebt, wird von derartigen Gedankengängen heim-

187

tancia inmedible existe entre la fantasía y el hecho
concreto. Esto es algo que usted ya no conocerá jamás con Irene. Le arrebaté la oportunidad. Usted
podrá recordar de ella una sonrisa, un ademán, el
destello de una mirada; podrá recordar, igual que yo,
una ternura espontánea, un entusiasmo de la piel,
una caricia definitiva, un gozo compartido con exac-
titud; sólo que yo recordaré siempre, además, su
quietud última, su último gesto de incredulidad y
desamparo, su imperturbable silencio. Una imagen
irrepetible que, por unos instantes y para toda la
vida, fue particular, íntima, exclusivamente mía.
Ésta es la pobre, aunque también la inconmensura-
ble ventaja que obtuve sobre usted. Porque, sabe,
a usted debía la dicha de Irene y mi propia dicha.
Nosotros encontramos lo que toda la gente busca.
Ahora es necesario resignarse.)

Del otro lado de la vidriera la gente se arremoli-
na para entrar al cine. Enciendo, sin ganas, otro cigarro. Desde que la conocí, nunca he dejado de sentir
«el miedo de lo demasiado tarde», que decía Lugones; nunca, aun en los momentos de mayor pleni-
tud, he dejado de parecerme indigno e intruso, uno
de esos «hombres nostálgicos y sin destino» de los
que pueblan el mundo de Onetti. Acaso porque el
nuestro no pasa de ser un amor del cuerpo, una triste mentira, un lamentable paliativo que convertimos
en vértigo para sobrellevar la miseria de nuestras
vidas. El marido de Irene, acodado en la irrealidad
de mi cuaderno de notas, estruja frente a mis ojos
su corazón de fantasma. Una especie de fastidio ter-
co e inexpulsable me desespera la voluntad y los
sentidos. «Para soportar el tiempo, piensa en la eter-
nidad», recomendaba Téophile Gautier.

gesucht. Aber welch unmessbarer Abstand besteht doch zwischen der Vorstellung und der greifbaren Wirklichkeit! Das können Sie nun bei Irene nicht mehr erleben. Ich habe Ihnen die Möglichkeit geraubt. Sie können sich vielleicht an ein Lächeln von ihr erinnern, eine Gebärde, das Aufleuchten eines Blicks; Sie entsinnen sich möglicherweise wie ich einer unvermittelten Zärtlichkeit, der begeisternden Haut, einer bestimmten Liebkosung, eines genau übereinstimmenden Genusses; aber ich werde darüber hinaus ihr letztes Schweigen in Erinnerung behalten, ihre letzte Gebärde, die Ungläubigkeit und Schutzlosigkeit ausdrückte, ihr endgültiges Verstummen. Ein unwiederholbares Bild, das für einen kurzen Augenblick und für mein ganzes Leben ausschließlich mir gehört hat, mir ganz allein und mir ganz privat. Das ist zwar armselig, aber auch ein unermesslicher Vorteil, den ich Ihnen voraus habe. Denn wissen Sie, Ihnen verdanke ich Irenes Glück und mein eigenes. Sie und ich fanden, was alle Leute suchen. Jetzt haben wir uns damit abzufinden.)

Auf der anderen Seite der Fensterscheibe drängen sich die Leute vor dem Kinoeingang. Ich zünde mir lustlos noch eine Zigarette an. Seit ich sie kennen gelernt habe, bin ich die «Angst vor dem Zuspät» nie losgeworden, wie Lugones es nannte; immer, sogar in den Stunden schönster Erfüllung, bin ich mir unwürdig und als Eindringling vorgekommen – wie einer der Männer aus Onettis Welt «die in Erinnerungen schwelgen und keine Zukunft haben». Vielleicht ist unsere Liebe nur körperlich und darum eine erbärmliche Lüge, ein armseliges Schmerzmittel, das wir in Rausch verwandeln, um unser jämmerliches Leben zu ertragen. Irenes Gatte stützt die Ellbogen auf mein unwirkliches Notizbuch und presst vor meinen Augen sein Gespensterherz aus. Eine Art hartnäckiger, lästig festsitzender Ärger bringt meinen Willen und meine Sinne zur Verzweiflung. «Denk an die Ewigkeit, um die Zeit zu ertragen», empfahl Téophile Gautier.

(Irene me lo dijo hoy. Me dijo que necesitaba que yo lo supiera para que la dicha fuera completa. Era cierto. Sólo que lo fue brevemente. Después de su revelación, después de que comprendí y acepté que sin usted, sin el amor que usted le había enseñado y alimentaba algunas noches en secreto, el nuestro no hubiera podido romper jamás los límites de la costumbre y la domesticidad, Irene y yo nos asumimos en un abrazo incansables que nos dignificó para siempre. Más tarde, con el reposo, con el privilegio de la serenidad infinita, sus ojos acudieron al llamado suave del sueño. Entonces, dueño universal de su desnudez y de mi asombro, purificado, consciente de lo irreversible de mi amor, de mi dicha, dejé que mis manos trabajaran la muerte sobre su cuerpo.)

Cierro el cuaderno. Trato de figurarme la cara que pondría Irene si leyera estos apuntes. Pero no hay cuidado, no los leerá. No le interesa nada de lo que escribo. No le importa otra cosa que no sea compartir conmigo una cama de hotel durante un par de horas. Y eso es lo que nos une, lo que nos hace iguales: la impiedosa necesidad de jugar con las emociones de la carne. Tal vez ya no venga. A lo mejor fue a buscarla el marido a la salida del trabajo. Suele suceder. Con un retraso de casi una hora llega, sin embargo, apurada, empujando con fiereza la codicia de sus muslos hacia donde me encuentro. Me saluda con un beso rápido. Me explica que el tránsito está insoportable. Pide un café. Se quita el suéter y se acomoda el cuello de la blusa. Sonríe porque advierte que le esculco el bulto de los pechos con la mirada. Me dice, con la respiración todavía un poco agitada: «A que no sabes lo que se me ocurrió? Vas a creer que estoy loca, o

(Irene hat es mir heute gesagt. Sie sagte, ich müsse es unbedingt wissen, damit das Glück vollkommen werde. Es war richtig. Aber nur ganz kurze Zeit. Nach ihrer Eröffnung – nachdem ich begriffen hatte und hinnahm, dass ohne Sie, ohne die Liebe, die Sie ihr beigebracht und in manchen heimlichen Nächten genährt hatten, unsere Liebe nie hätte die Grenzen des Gewöhnlichen und Biederen durchstoßen können –, versanken Irene und ich in eine unendlich lange, nicht ermüdende Umarmung, die uns für immer Würde verlieh. Erst später, beim Ausruhen in grenzenlos heiterer Stimmung, ergaben sich ihre Augen dem sanften Ruf des Schlafes. Jetzt fühlte ich mich gereinigt und ganz Herr über ihre Nacktheit und mein Erstaunen, und im Wissen um die Unumstößlichkeit unserer Liebe und unseres Glücks gestattete ich meinen Händen, das Werk des Tötens an ihrem Körper zu vollbringen.)

Ich schließe mein Notizbuch. Ich versuche, mir Irenes Gesicht vorzustellen, wenn sie diese Aufzeichnungen liest. Aber keine Sorge, sie wird sie nicht lesen. Sie zeigt keine Neugierde für meine Schreiberei. Wichtig ist für sie nur, ein paar Stunden ein Hotelbett mit mir zu teilen. Das verbindet uns, macht uns gleich: der heillose Drang, mit den Regungen des Fleisches zu spielen. Vielleicht kommt sie nicht mehr. Möglicherweise hat ihr Mann sie bei Arbeitsschluss abgeholt. Das kommt hin und wieder vor. Fast eine Stunde zu spät kommt sie dann doch noch, außer Atem, stößt die wilde Begierde ihrer Schenkel zu mir hin. Sie grüßt mich mit einem hastigen Kuss. Erklärt mir, dass der Verkehr unerträglich sei. Bestellt einen Kaffee. Zieht ihre Jacke aus und zupft den Kragen ihrer Bluse zurecht. Lächelt, weil sie merkt, dass ich mit meinem Blick die Rundung ihrer Brüste abtaste. Noch immer ein wenig hastig atmend, sagt sie dann: ‹Wetten, du weißt nicht, was ich erlebt habe? Du wirst mich für verrückt halten oder für dumm, aber stell

que soy una idota, pero fíjate que de pronto, en lo que venía para acá, me puse a pensar, pero a pensar de una manera como si lo estuviera viviendo, que llegaba y tú no estabas aquí, y que entonces me ponía a esperarte, y que luego de un rato se me paraba mero enfrentito tu esposa y me decía:

– Buenas noches. ¿Espera usted a Augustín? No vendrá. Lo maté esta tarde.»

dir vor, dass ich auf dem Weg hierher mit einem Mal dachte, und zwar so lebhaft dachte, als sähe ich es wahrhaftig:
ich komme hierher und finde dich nicht vor und richte mich
auf eine Wartezeit ein, und nach einer Weile steht unvermittelt deine Frau vor mir und sagt zu mir:

‹Guten Abend. Warten Sie auf Augustín? Er kommt
nicht. Ich habe ihn heute nachmittag umgebracht.›»

Hernán Lara Zavala
Payasito

Nunca me ha gustado el circo. No me gustaba cuando era niño y me gusta menos ahora que soy un hombre maduro. Tengo cuarenta años, soy divorciado, padre de una hija. Ya me siento viejo y a pesar de ello sé que aún me falta un largo trecho por recorrer. La vida invariablemente nos ofrece una segunda oportunidad aunque aquellos que desaprovechamos la primera tengamos que entrar luego por la puerta trasera. No me gusta el circo, decía, porque la propia palabra me evoca un escenario de actos indignos, actos que denigran por igual al hombre y al animal. Me deprimen sobre todo los payasos. Los contemplo como subhumanos apenas semejantes a las pobres bestias con las que trabajan: caballos emplumados corriendo alrededor de una ridícula pista o elefantes trepados sobre minúsculos taburetes o monos vestidos con trajes chuscos montando triciclos y bicicletas o leones y tigres encerrados en jaulas a los que sólo permiten salir para ejecutar actos opuestos a su instinto, actos serviles, actos, en fin, que resultan denigrantes hasta para el propio espectador. Díganme quién puede admirar a un león domado.

Me permito expresar esto porque ahora, por razones ajenas a mi voluntad, me he visto en la necesidad de ir al circo, no una sino muchas veces.

Contrario a mí, mi hija, Jimena, que tiene sólo seis años, ama el circo. Cada quince días que paso por ella, como lo establece el acuerdo de divorcio, y le pregunto a dónde desea ir, ella me contesta sin

Hernán Lara Zavala
Der Zirkusclown

Der Zirkus hat mir nie gefallen. Er gefiel mir nicht, als ich
klein war, und jetzt, da ich ein reifer Mann bin, mag ich
ihn noch weniger. Ich bin vierzig Jahre alt, geschieden,
Vater eines Mädchens. Ich komme mir schon alt vor, und
trotzdem weiß ich, dass ich noch eine lange Wegstrecke vor
mir habe. Das Leben bietet uns auf jeden Fall eine zweite Möglichkeit, obwohl wir, die wir die erste schlecht ge-
nutzt haben, nachher gezwungen sind, durch die Hintertür
einzutreten. Ich mag den Zirkus nicht, ich habe es schon
gesagt, denn allein schon beim Wort sehe ich unwürdige
Auftritte vor mir, die Menschen und Tiere gleicherweise
herabsetzen. Die Spaßmacher tun mir am meisten leid. Ich
erlebe sie als fast so erniedrigt wie die Tiere, mit denen sie
arbeiten: federngeschmückte Pferde, die um eine lächerliche
Arena traben oder Elefanten auf winzigen Schemeln oder
Affen in putzigen Kleidchen auf Dreirädern oder Zweirädern
oder Löwen und Tiger, die nur aus den Käfigen herausgelas-
sen werden, um Kunststücke zu zeigen, welche ihrer Natur
nicht gemäß sind, lauter knechtische Handlungen, die sogar
für Zuschauer herabwürdigend sind. Sagen Sie mir, wer
kann denn einen gezähmten Löwen bewundern?

Ich habe mir erlaubt, das alles vorauszuschicken, denn
jetzt stehe ich gegen meinen Willen vor der Notwendigkeit,
in den Zirkus zu gehen, und zwar nicht nur einmal, sondern
immer wieder.

Meine erst sechsjährig Tochter Jimena nämlich liebt den
Zirkus – ganz im Gegensatz zu mir. Alle vierzehn Tage hole
ich sie ab, wie es die Scheidungsvereinbarung festhält, und
frage sie, wohin sie gehen möchte – und jedesmal antwortet

dudarlo: «al circo». Jimena, mi hija, disfruta enormemente de los payasos y de los animales.

– Pero si ya fuimos la semana pasada – le
digo.

– La antepasada – me corrige – ándale papá, es
que me gustó mucho el acto de la muñeca de trapo,
el de la niña que meten en una maleta.

Durante todo el año hemos ido a pequeños circos de barrio, circos familiares donde el anunciador, los trapecistas, el domador y los payasos son todos parientes. En diciembre, sin embargo, el circo Atayde se pone en la ciudad. Hablé por teléfono con Jimena. Para darle gusto y con motivo de la Navidad le propuse que fuéramos. Quedó encantada. El sábado, como estaba previsto, pasé por ella a casa de su madre, después de comer.

A propósito, su madre, mi exmujer, se ha vuelto a casar. Ahora vive con su nuevo esposo y con Jimena en una casa clase media con un jardincito al frente.

Toco la puerta. La que abre es mi exmujer.

– Jimena no tarda, ya está lista, ¿quieres pasar?

– No gracias – digo indiferente mientras enciendo un cigarrillo y echo un vistazo al interior de la casa: llena de adornos de navidad, con un arbolito muy bien puesto y varios regalos al pie.

– ¡Jimena, es tu papá Jorge!

Jimena sale bien arreglada, con el cabello estirado en una cola de caballo, una pequeña maleta en la mano. Mi exmujer le da un beso y le pregunta:

– ¿Te despediste de papá Pedro?

– Claro.

sie, ohne zu zögern: «In den Zirkus». Meine Tochter Jimena hat unbändigen Spaß an den Clowns und an den Tieren.

«Aber wir sind doch schon letzte Woche gegangen», sage ich zu ihr.

«Vorletzte», verbessert sie mich, «komm, Papa, die Lumpenpuppe hat mir so gut gefallen und auch das Mädchen, das in einen Koffer gepackt wird.»

Das ganze Jahr über sind wir in irgend einen kleinen Vorstadtzirkus gegangen, eines der Familienunternehmen, wo der Ansager, der Trapezkünstler, der Tierbändiger und die Clowns alle verwandt sind. Im Dezember aber kommt der Zirkus Atayde in die Stadt. Ich habe mit Jimena telefoniert. Um ihr eine Freude zu machen und auch wegen Weihnachten schlug ich ihr vor, dorthin zu gehen. Sie war begeistert. Am Samstag holte ich sie wie abgemacht nach dem Mittagessen bei ihrer Mutter ab.

Übrigens hat ihre Mutter, meine Ex-Frau, wieder geheiratet. Jetzt wohnt sie mit ihrem neuen Ehemann und Jimena in einem Mittelstandshaus mit einem Vorgärtchen.

Ich läute an der Tür. Meine Ex-Frau öffnet.

«Jimena kommt gleich. Sie ist schon bereit, willst du hereinkommen?»

«Nein, danke», sage ich gleichgültig, während ich eine Zigarette anzünde und einen Blick ins Innere des Hauses werfe: alles voller Weihnachtsschmuck und einem schön hergerichteten Christbäumchen und verschiedene Geschenke darunter.

«Jimena, dein Papa Jorge!»

Jimena kommt sorgfältig zurecht gemacht heraus: das Haar trägt sie glatt nach hinten und zu einem Pferdeschwanz gebunden, in der rechten Hand hält sie ein Köfferchen. Meine Ex-Frau gibt ihr einen Kuss und fragt sie:

«Hast du Papa Pedro Lebewohl gesagt?»

«Natürlich.»

– Que te diviertas – le dice su madre y la vuelve a besar.

– ¿A qué hora me la traes mañana?

– A las seis – contesto fastidiado.

Es la hora que acordamos desde el divorcio y no obstante cada quincena me pregunta lo mismo.

Ya en el coche, rumbo al circo, Jimena me dice a quemarropa:

– ¿Por qué ya no pones árbol de navidad?

– Porque no me importa …

– Mamá dice que antes la navidad te gustaba mucho.

– Tal vez por ti, pero qué más da …

– Es que tu departamento se ve muy triste sin un arbolito. Vamos a comprar uno y yo te ayudo a ponerlo – me propuso. Y además aprovechamos para poner un poco de orden en ese tiradero que tienes ahí.

– No tengo esferas ni ningún tipo de adorno navideño, se los llevó tu mamá. Además tú ya tienes tu árbol en tu casa, ¿no?.

– Sí, pero me da tristeza que tú no.

– De veras no tiene importancia – le digo mientras sigo guiando rumbo al circo –. ¿Óyeme desde cuándo le dices papá Pedro al esposo de tu mamá?

– No me acuerdo – contesta como si estuviera pensando en otra cosa.

– ¿Tu mamá te pidió que le dijeras así?

– No me acuerdo …

– Dile que tu único padre soy yo.

Estacioné el automóvil. Entramos al circo. Yo había reservado boletos frente a la pista. Le compré un algodón a Jimena y nos sentamos a ver el espectá-

«Viel Vergnügen!» wünscht ihr ihre Mutter und küsst sie nochmals.

«Um wieviel Uhr bringst du sie morgen wieder?»

«Um sechs», antworte ich ärgerlich.

Diese Zeit ist seit unserer Scheidung vereinbart, und trotzdem fragt sie mich alle vierzehn Tage dasselbe.

Im Wagen auf dem Weg zum Zirkus sagt Jimena plötzlich ganz unvermittelt:

«Warum hast du eigentlich keinen Christbaum mehr?»

«Weil er mir nicht wichtig ist ...»

«Mama sagt, dass du früher Weihnachten sehr gern gehabt hast.»

«Vielleicht deinetwegen, aber was soll's ...»

«Deine Wohnung sieht so kahl und traurig aus ohne Christbäumchen. Kaufen wir doch eines, und ich helfe dir beim Schmücken», schlug sie vor, «und bei dieser Gelegenheit räumen wir ein bisschen auf, was da alles herumliegt.»

«Ich habe keine Christbaumkugeln und auch sonst keinen Weihnachtsschmuck, deine Mama hat alles mitgenommen. Und außerdem hast du ja deinen Baum bei dir zu Hause, nicht wahr?»

«Ja, aber ich finde es traurig, dass du keinen hast.»

«Wirklich, es spielt überhaupt keine Rolle», sage ich und fahre weiter in Richtung Zirkus. «Hör zu, seit wann sagst du Papa Pedro zu Mamas neuem Ehemann?»

«Ich weiß es nicht mehr», antwortet sie, als sei sie mit ihren Gedanken anderswo.

«Hat deine Mama verlangt, dass du Papa zu ihm sagst?»

«Ich weiß nicht mehr ...»

«Sag ihr, dass ich dein einziger Vater bin.»

Ich parkte meinen Wagen. Wir betraten das Zirkuszelt. Ich hatte im voraus Karten ganz vorn bei der Arena bestellt. Ich kaufte Zuckerwatte für Jimena, und wir nahmen Platz zur

culo, mismo que voy a omitir por mi natural aversión por todo lo que veía y que sólo soportaba con tal de ver feliz a mi hija, arrobada ante la música, los animales, los acróbatas y los payasos.

Llegó el intermedio y entre acto y acto fuimos a comprar un refresco, palomitas de maíz y luego nos sentamos a esperar la segunda parte. Estaba yo destraído, viendo hacia ningún lado, cuando me di cuenta de que se acercaba a nosotros un payaso. No se trataba de un payaso chusco. No tenía nariz de bola ni grandes zapatos. Era un payaso vestido de azul con un saco muy amplio de grandes hombreras y pantalones anchos. Tenía la cara maquillada pero por primera vez en mi vida su aspecto no me resultaba ni grotesco ni repulsivo. El payaso iba jugando con unas burbujas de jabón que, por el movimiento de medio círculo que hacía, daba la impresión de que las extraía de un par de cubetas que el otro payaso que lo acompañaba llevaba sobre los hombros. Sus movimientos eran lentos, muy delicados: introduce su brazo en la cubeta y de ahí surgen cinco o seis pompas de jabón. Recorría la pista repartiendo burbujas entre el público. Al llegar hasta donde estamos me mira y se dirige hacia nosotros. Con sus ojos muy abiertos clavados en los míos suelta una enorme burbuja. El payasito se queda mirándola como algo muy preciado, un objeto valioso y perdurable que vuela por los aires. La burbuja flota vibrante, dejando sentir sus colores y su fragilidad, acercándose a mí, elevándose. De súbito estalla y se desvanece. El payasito me mira. Luego se vuelve a Jimena. Tiene una mirada dulce, comprensiva, llena de simpatía. Jimena está fascinada. El payasito se acerca y le tiende la mano. Lleva guantes blancos. Cuando se extiende el brazo para saludar, alcanzo a ver un poco de

Vorstellung; die will ich aber überspringen wegen meiner angeborenen Abneigung gegen alles, was ich sah und nur ertrug, weil ich mein Töchterchen glücklich sah: sie war ganz entrückt von der Musik, den Tieren, den Akrobaten und den Spaßmachern.

In der Pause kauften wir eine Erfrischung, Puffmais, und dann nahmen wir für den zweiten Teil Platz. Ich war zerstreut, schaute nirgendwo hin, bis ich bemerkte, dass ein Clown auf uns zukam. Es war kein derber Clown. Er hatte keine Kugelnase und keine Schlappschuhe. Es war ein Spaßmacher in blauem Anzug mit sehr weitem breitschultrigem Kittel und weiten Hosen. Sein Gesicht war geschminkt, aber zum ersten Mal in meinem Leben empfand ich sein Aussehen weder fratzenhaft noch abstoßend. Der Clown spielte mit Seifenblasen, die er mit einer Halbkreisbewegung aus Töpfchen auf den Schulterpatten seines Begleiterclowns zu schöpfen schien. Seine Bewegungen waren langsam und ganz sanft: er taucht den Arm in den Topf und zieht fünf oder sechs Seifenblasen heraus. Dann macht er die Runde in der Arena und verschenkt sie im Publikum. Als er bei uns vorbeikommt, schaut er mich an und wendet sich an uns. Er schaut mich mit weit offenen Augen durchdringend an und löst eine riesengroße Seifenblase. Er betrachtet sie lange wie etwas ganz Kostbares, einen wertvollen dauerhaften Gegenstand, der durch die Luft schwebt. Zitternd entfernt sich die Seifenblase, lässt ihre Farben und ihre Zerbrechlichkeit wirken, kommt näher zu mir und steigt höher. Auf einmal platzt sie und ist verschwunden. Der Clown schaut mich an. Dann wendet er sich Jimena zu. Sein Blick ist sanft, verständnisvoll, freundlich. Jimena ist begeistert. Der Clown geht zu ihr hin und streckt ihr die Hand entgegen. Er trägt weiße Handschuhe. Als er den Arm zum Gruß ausstreckt, kann ich etwas von seiner Haut sehen. Jimena gibt ihm lächelnd die Hand, und dann drehen beide, der Clown und

su piel. Jimena le da la mano sonriendo y luego los dos, el payaso y mi hija, se vuelven a mirarme. Sonrío, cohibido. El payasito va por una cubeta, la toma con ambas manos y embiste contra nosotros. El público pega un grito. Nos baña de confetti. El payaso agita la mano en señal de adiós y continúa su camino lanzando burbujas al aire mientras termina de recorrer la pista. A medida que se aleja me doy cuenta de que el payasito aquél llevaba en la muñeca una fina pulsera de oro. No era pues un hombre sino una mujer.

— ¿Qué te pasa papá? — me pregunta Jimena sorpresivamente.

— Debe ser la navidad — contesto enjugándome la lágrima que corre por mi mejilla.

mein Töchterchen, den Kopf und schauen mich an. Ich lächle ein wenig verlegen. Der Clown geht zu einem andern Topf, nimmt ihn in beide Hände und kommt angriffslustig auf uns zu. Das Publikum schreit auf. Er überschüttet uns mit Confetti. Der Clown winkt mit der Hand zum Zeichen des Abschieds, lässt weitere Seifenblasen steigen, während er seine Runde um die Arena zu Ende läuft. Als er schon ziemlich weit weg ist, merke ich erst, dass er ja ein feines Goldarmband am Handgelenk trug. Er war also kein Mann, sondern eine Frau.

«Was hast du denn, Papa?» fragt mich Jimena ganz überrascht.

«Es ist wohl wegen Weihnachten», antworte ich und wische eine Träne ab, die mir über die Wange rollt.

Severino Salazar
Feliz Navidad, vecinos

La familia de al lado, los Muro, tenían un árbol que primero echaba toda su basura en nuestro patio, después nos causó otros perjuicios. Durante la primavera soltaba esas flores que parecían prepucios morados sobre las baldosas. Pero todo comenzó cuando llegaron las aguas, y el río crece y crece. Dijimos: se va a meter a nuestra huerta. Y dicho y hecho, un día en la madrugada, aunque estaba bien oscuro, miramos desde el patio de nuestra casa cómo se llevó primero los duraznos y los membrillos que estaban plantados a la orilla del barranco, después el nogal, el aguacatero y un chabacano, que tenían así de gruesos los troncones. Hasta un poste de la luz se llevó el méndigo río: nomás tronaban y chicoteaban los cables cargados de electricidad, como si fuera un árbol de lumbre. A la mañana siguiente, cuando la corriente había bajado, mi papá y yo encontramos nuestros árboles uno aquí y el otro allá, atorados en las piedras y entre esa basura de lodo prieto como el chocolate y hojas podridas que el río baja de las montañas. Nos los podemos llevar arrastrando si los enganchamos a una yunta de mulas, le dije. No, ya están muertos, ya le dio el aire a las raíces, me contestó mi padre. Y aunque nos los lleváramos, ¿dónde los íbamos a poder plantar? El río había dejado, en gran parte de lo que fue la huerta, un valle de arena y un pedregal de piedras blancas. El migajón de tierra negra para sembrar se lo había llevado completo.

En cambio, a la huerta de los Muro, aquí al otro lado, no le había sucedido gran cosa; les tumbó un

Severino Salazar
Frohe Weihnachten, Nachbarn

Die Familie nebenan, die Muro, hatten einen Baum, der alles Verwelkte in unsern Garten fallen ließ, und später verursachte er uns noch weiteres Ungemach. Im Frühling sahen die violetten Blüten auf unseren Steinfliesen aus wie Vorhäute. Aber alles begann mit dem großen Regen, als der Bach immer mehr anschwoll. Wir sagten, er wird unsern Obstgarten überschwemmen. Wie gesagt, so geschehen; eines frühen Morgens, als es noch ganz dunkel war, schauten wir vom Hof aus zu, wie er zuerst die Pfirsich- und die Quittenbäume mitriss, die an der Uferböschung standen, dann den Nussbaum, den Avocado- und einen Aprikosenbaum, die sooo dicke Stämme hatten. Sogar einen Strommasten stürzten die unersättlichen Wassermassen um: die geladenen Kabel zischten und funkten, als stünde ein Baum in Flammen. Als am andern Morgen das Hochwasser zurückgegangen war, fanden mein Vater und ich unsere Bäume weit verstreut zwischen Steinen verkeilt, in schokoladenbraune Lehmmassen eingepresst und mit faulem Laub überdeckt, das der Bach von den Bergen herabgeschwemmt hatte. Wir können sie an einem Joch Maultieren festbinden und herausziehen, sagte ich zu ihm. Nein, sie sind schon tot, die Wurzeln sind an der Luft gewesen, antwortet mir der Vater. Auch wenn wir sie herausbrächten, wo sollten wir sie denn pflanzen? Der Bach hatte dort, wo unser Obstgarten gewesen war, einen Wall Sand und weißen Kies abgelagert. Das bisschen schwarze Ackerkrume zum Pflanzen hatte er vollständig weggeschwemmt.

Der Obstgarten der Muro auf der anderen Seite hatte hingegen kaum Schaden genommen; ein Stück Zaun war um-

pedazo de lienzo pero eso no era nada. Comparando con los daños que le había hecho a la nuestra, la de ellos estaba intacta. El río ni la tocó casi, porque está un poco más arriba, y hay unos peñascos que siempre han aventado la corriente con fuerza para nuestras propiedades.

Entonces sí me comenzó a caer más gordo ese árbol de los Muro, que brincaba las bardas y extendía sus ramas sobre el cielo de nuestra casa. Que no daba fruta ni nada, ahí nomás de adorno. Y lo más grave era que no solamente invadía nuestro cielo, sino también nuestra tierra. Sus raíces levantaron un poco las losas de cantera del patio, y en mi recámara agrietaron el piso de cemento. Eran como víboras subterráneas en engorda, crecían cada vez más y levantaban nuestro suelo. Esculcaban las entrañas de nuestra casa. Nos movían el tapete, como quien dice.

Ya me había cansado de rogarle a mi padre que obligáramos a los Muro a que hicieran leña de ese árbol. Yo, incluso, me había quejado con ellos por lo de las losas y el piso de mi cuarto, pero ellos me tiraban de a loco. Y eso más me encabronaba. Se me volvió un capricho, como quien dice, una obsesión, pues. Y mi padre me decía que me olvidara del mentado árbol, que había que vivir en armonía con los vecinos, que no era tan grave lo de las raíces y la basura que echaba.

Ese árbol inútil, que no daba ningún fruto, nada más le crecían esos semillones negros, al tamaño de un puño, que parecían testículos allí colgando, de a dos en dos.

Pero los acontecimientos se aceleraron y tomaron por otro rumbo porque mi hermano el mayor, que

gerissen, aber das war eigentlich gar nichts. Im Vergleich zu unserm Obstgarten war der ihre unversehrt. Das Hochwasser hatte ihn kaum gestreift, denn er liegt ein bisschen weiter oben, und die Felsnase dort hat das Wasser mit aller Gewalt auf unser Grundstück herüber gelenkt.

Von da an allerdings wurde mir der Baum der Muro immer lästiger; er sprang über das Dornengeflecht auf der Grenzmauer hinweg und verdeckte mit seinem Geäst den Himmel über unserm Haus. Er gab keine Früchte und gar nichts, war nur zur Zierde da. Das Schlimmste war, dass er nicht nur unsern Himmel beanspruchte, sondern auch in unsern Boden eindrang. Seine Wurzeln hoben ein wenig die Steinplatten in unserm Hof, und in meiner Schlafkammer hatte der Zementboden Risse bekommen. Die Wurzeln waren wie unterirdische Vipern, die immer dicker und größer wurden und unsern Boden sprengten und hoben. Sie spionierten die Eingeweide unseres Hauses aus. Sie zogen an unserm Tischtuch, wie man sagen könnte.

Ich war es müde geworden, meinem Vater in den Ohren zu liegen, wir sollten doch von den Nachbarn verlangen, ihren Baum zu Brennholz zu zerhacken. Ich hatte mich auch schon selbst bei ihnen beklagt wegen der Steinplatten und dem Fußboden in meiner Schlafkammer, aber die fanden wohl, ich sei verrückt. Aber das trieb mir erst recht die Galle hoch. Es wurde eine fixe Idee daraus, eine Grille, wie man so sagt. Mein Vater sagte mir immer wieder, ich solle doch den Baum vergessen, man müsse mit seinen Nachbarn in gutem Einvernehmen leben, und das mit den Wurzeln und den herunter fallenden Blüten und Blättern sei doch nicht so schlimm.

Dieser unnütze Baum gab überhaupt keinen Ertrag, nur faustgroße schwarze Samenkapseln hingen paarweise herab und sahen aus wie Hoden.

Aber die Ereignisse beschleunigten sich und nahmen eine neue Wende, denn mein älterer Bruder, der an der Universität

estudia leyes en la Universidad de Zacatecas, se vino a pasar el mes de diciembre con nosotros. Para esto, al árbol ya se le habían caído todas las hojas. Estaba ahí desnudo, como quien dice, impúdicamente burlándose de nosotros; entre sus ramas mirábamos el cielo azul en el día y las estrellas en las noches de invierno. Llegando llegando le mostré todos los perjuicios que había hecho el río. Y lo del árbol de los Muro, me cai, que no creí que le interesara, pero en la noche cuando nos íbamos a dormir y vio las cuarteaduras en el cemento del piso del cuarto, y lo puse al tanto del árbol que las estaba haciendo, se encabronó más que yo. Salimos casi encuerados al patio para que se desengañara con sus propios ojos.

– Por ley ese árbol debe de ser cortado, dijo. Ese tipo de árboles debe de estar como a diez metros del límite de las propiedades. Mañana mismo los demandamos ante el ministerio público. Tarde se me hace para que amanezca, casi gritaba mi hermano, rascándose los huevos.

Al comenzar formalmente el pleito, nos topamos con un problema: mi hermano no tenía aún permiso de litigar: Pero en realidad no era ningún problema, puesto que en un mes lo podía conseguir, cuando se reanudaran otra vez las clases en la universidad y le extendieran una constancia. Y entonces sí, se podía calar como abogado de la familia. Los dos estábamos bien convencidos de que ésa era la única forma legal de acabar de una vez por todas con ese pinche árbol.

Mientras tanto, se acercaba la época de las posadas. Y empezó a llegar de Los Ángeles toda la gente que viene a pasar aquí la navidad y el año nuevo. Y la casa de los Muro se llenó de gente. El ruido de

Zacatecas Rechtswissenschaft studiert, verbrachte den Monat Dezember bei uns. Zu dieser Jahreszeit waren schon alle Blätter vom Baum abgefallen. Er stand ganz nackt da, wie man so sagt, und verspottete uns schamlos; zwischen seinen Ästen hindurch betrachteten wir im Winter tagsüber den blauen Himmel und nachts die Sterne. Kaum war mein Bruder da, zeigte ich ihm die ganze Verwüstung, die das Hochwasser angerichtet hatte. Aber das mit dem Baum der Muro, Donnerwetter, da hätte ich nicht gedacht, dass er das wissen wollte; aber als wir am Abend schlafen gingen und er die Risse im Zimmerboden sah und ich ihm erzählte, die mache der Baum, da stieg ihm die Galle noch bitterer hoch als mir. Fast nackt gingen wir in den Hof hinaus, damit er sich mit eigenen Augen vergewissere.

«Von Gesetzes wegen muss dieser Baum gefällt werden», sagte er, «solche Bäume müssen mindestens zehn Meter von der Grundstücksgrenze entfernt sein. Gleich morgen wenden wir uns an die Staatsanwaltschaft. Ich kann kaum warten, bis es Tag wird», schrie mein Bruder beinahe und kratzte sich an den Hoden.

Als die Klage eingereicht werden sollte, stießen wir auf ein Hindernis: mein Bruder war noch nicht berechtigt, Prozesse zu führen. Aber eigentlich war es gar kein Problem, denn in einem Monat, wenn nach der Festzeit die Universität den Betrieb wieder aufnahm, würde ihm der Ausweis ausgestellt. Dann konnte er als Rechtsanwalt der Familie auftreten. Wir beide waren fest überzeugt, dass das die einzige gesetzliche Möglichkeit wäre, den widerlichen Baum ein für allemal loszuwerden.

Mittlerweile war die Vorweihnachtszeit mit dem Brauch gegenseitiger Familienbesuche gekommen. Nach und nach trafen alle die Leute aus Los Angeles ein, die bei uns Weihnachten und Neujahr verbringen. Das Haus der Muro füllte sich mit Gästen. Ihr lärmendes Gelächter, ihre Gespräche,

sus risas, sus conversaciones, la música que tocaban sus aparatos eléctricos, brincaban las bardas y como que llenaban nuestra casa de otra clase de basura.

Y ahí tienen que por mala suerte mi hermano vio a una de las hijas de los Muro, que no veía desde que estaba chiquita, de las que llegaron de vacaciones, en la nevería de la plaza y se flecharon. En una escasa semana ya estaban enamoradísimos, cargando peregrinos juntos y toda la cosa. Y se chingó el asunto legal. Se olvidó del árbol. Él si, pero yo no.

La noche de navidad fue el colmo, me llevé una sorpresa de aquéllas. Al alzar la vista al cielo, cuando salí al patio de nuestra casa, me encontré con el árbol de los Muro todo adornado. Estaba como ardiendo: el tronco y las ramas estaban forrados de cientos y cientos de foquitos blancos, hasta las puntas. Se prendían y apagaban, corrían los chorros de luz por todos lados. Parecía un árbol de luz cristalina, de hielo, transparente, como el rey de todo el universo. Y más tarde me enteré de que mi propio hermano los había ayudado a decorarlo. Fue como si me hubieran puesto banderillas. Qué digo banderillas, me injerté en pantera.

Más noche, casi en la madrugada, mientras los Muro – y mi propio hermano con ellos – cenaban, bailaban y se emborrachaban bajo su árbol de ramas de luz, yo, de este lado de la barda, levanté una hilera de las losas que cubrían las raíces abombadas y, con un hacha, les hice muchas heridas. Y ahí vacié dos botellas de cianuro líquido. Felices, a los Muro ni por aquí les pasaba que para la próxima primavera su árbol no iba a echar esas flores moradas que seguramente tanto les gusta-

die Musik aus den elektrischen Apparaten sprangen über die Dornenhecken auf der Grenzmauer und füllten unser Haus mit einer andern Art Müll.

Aber wie es so gehen kann: leider traf unser Bruder in der Eisdiele am Hauptplatz eine der Murotöchter, die er seit sie ein Kind war nicht mehr gesehen hatte und die nun hier die Weihnachts- und Neujahrszeit verbrachte, und die Liebespfeile schwirrten. In einer knappen Woche waren sie bis über beide Ohren verliebt und zeigten sich miteinander auf der Straße und so. Der Rechtshandel blieb hängen. Mein Bruder vergaß den Baum. Er wohl, aber ich nicht.

Der Heilige Abend war der Gipfel. Ich erlebte eine Überraschung wie nie zuvor. Als ich aus unserm Haus ging und im Hof draußen in den Himmel hinaufschaute, sah ich den Murobaum in vollem Lichterglanz: der Stamm und die Äste waren bis zu den äußersten Spitzen mit hunderten und aberhunderten weißer Lämpchen geschmückt. Sie entzündeten sich und erloschen wieder, streuten ihre Lichtstrahlen in alle Richtungen. Der Baum wirkte wie durchsichtiges Eis, leuchtendes Kristallglas, wie der König des Weltalls. Später erfuhr ich, dass mein eigener Bruder mitgeholfen hatte, ihn zu schmücken. Ich kam mir vor wie ein Stier, dem man Banderillas in den Nacken stößt. Was sage ich, Banderillas, die Stiche hatten mich zur Raubkatze gemacht.

Später in der Nacht, schon fast gegen Morgen, als die Muro – und mit ihnen mein eigener Bruder – unter dem Baum mit den leuchtenden Ästen aßen und tanzten und sich betranken, hob ich auf dieser Seite der Grenzmauer eine Reihe Steinplatten aus, die die aufgebogenen Wurzeln zudeckten, und schlug mit einer Axt viele Kerben hinein. Dort hinein goss ich zwei ganze Flaschen flüssiges Zyankali. Glücklich wie die Muro waren, stellten sie sich natürlich nie und nimmer vor, dass im nächsten Frühling ihr Baum keine der violetten Blüten mehr machen würde, die ihnen wahr-

ban. Ni basura. Y cuando llegaran las aguas nuevamente, se iba a comenzar a caer a pedazos, podrido. Y el inútil de mi hermano que se siguiera rascando los huevos, que solamente para eso tenía gracia.

scheinlich so gut gefielen. Auch kein welkes Zeug würde mehr herabfallen. Und wenn die Regenzeit kam, wäre er schon morsch und würde umstürzen. Der Nichtsnutz von Bruder konnte sich dann wieder an den Hoden kratzen, das war das einzige, wozu er taugte.

Anmerkung zu Seite 8, Zeile 18, Juan Diego:
Im Jahre 1531 erschien dem Indio Juan Diego auf dem Hügel von
Tepeyac außerhalb von Mexiko-Stadt die Jungfrau Maria. Zum Beweis für den Ortsbischof schüttete sie dem Jungen Rosenblätter in
seinen Umhang. Beim Öffnen aber war auf dem Stoff ihr Abbild,
das Gnadenbild, das seither in der am Ort der Erscheinung errichte-
ten Basilika zu Ehren der Jungfrau von Guadalupe Pilger aus ganz
Amerika anzieht.
Anmerkung zu Seite 166, Zeile 1, El Porvenir – Zukunft

Mexiko nimmt innerhalb der spanischsprachigen Länder in mancher Hinsicht eine besondere Stellung ein: geographisch, geschichtlich, wirtschaftlich, kulturell ...

Geographisch gehört Mexiko zu Nordamerika, eine Tatsache, auf welche die Mexikaner mit Nachdruck hinweisen! Die Nachbarschaft der Großmacht USA, an die es im Texaskrieg 1848 mehr als die Hälfte seines Gebietes verloren hat (nämlich Texas, Neumexiko und Neukalifornien), zwingt zur dauernden Auseinandersetzung mit der angelsächsischen Lebens- und Denkweise und zur Besinnung auf die eigenen Werte. Das wirkt sich bestimmt befruchtend auf den Umgang mit der eigenen Vergangenheit und Gegenwart aus, bringt andererseits aber die Gefahr, sich von Äußerlichkeiten des materiellen Fortschritts im reichen Nachbarland blenden zu lassen und in Nachahmung zu verfallen.

Die Durchmischung der ansässigen indianischen Bevölkerung mit den Einwanderern ist in Mexiko selbstverständlicher und allgemeiner als in den anderen hispanischen Ländern: zuerst mit den spanischen Eroberern, dann mit den Negersklaven vor allem aus Westafrika, neuerdings vermehrt auch mit Zuwanderern aus Ostasien. Die Schlagwörter «Mestizaje», «La nueva raza» sind zum Programm geworden und sollen die Bevölkerung zur eigenständigen Gestaltung ihrer Zukunft auf der Grundlage des Rassengemischs ermutigen und begeistern. Diese Wunschvorstellung darf allerdings nicht darüber hinwegtäuschen, dass auch in Mexiko das Zusammenleben so unterschiedlicher Ethnien nach wie vor große Schwierigkeiten bereitet. Konflikte können jederzeit ausbrechen und sogar zu Blutvergießen führen. Auch in den Geschichten unserer Auswahl fällt auf, wie stark in Mexiko der

Alltag von Grausamkeit und Gewalt vor allen den Indios gegenüber geprägt ist.

Die Verbundenheit mit Spanien ist in Mexiko enger als in den übrigen amerikanischen Kolonien, und zwar seit der Eroberung durch Hernán Cortés (1521) bis heute. Schon die topographische Ähnlichkeit zwischen Mexiko und der iberischen Halbinsel ist auffallend, nur ist Mexiko etwa viermal größer, und alle landschaftlichen und klimatischen Gegensätze liegen weiter auseinander – kein Zufall also, dass die erste Kolonie auf dem amerikanischen Festland den Namen «Nueva España» bekam.

Die natürlichen Reichtümer Mexikos brachten es mit sich, dass es bald nach der Eroberung für die spanische Wirtschaft wichtig wurde: erst bestimmte die Ausbeute an Bodenschätzen (Gold, Silber, Kupfer …) die Handelsbeziehungen, später waren es vermehrt auch Agrarprodukte (Mais, Baumwolle, Zucker, Kaffee, Bananen …), heute ist Mexiko zudem ein wichtiges Erdölförderland geworden.

Kulturell war Mexiko während der ganzen Kolonialzeit eine Art verlängerter Arm des Mutterlandes: seit 1534 wurden in Mexiko Bücher gedruckt, 1551 wurde die Universität gegründet (wo auch indianische Sprachen und Kulturen erforscht und dokumentiert wurden). Die künstlerischen Leistungen sind auf allen Gebieten beachtlich. Die Architektur Neuspaniens (vor allem der Städte- und Straßenbau, aber auch die Sakralbauten), die Wohnkultur, die bildende Kunst, Musik, Literatur: auf allen diesen Gebieten braucht Mexiko den Vergleich mit dem Mutterland nicht zu scheuen.

1821 wurde Mexiko ein unabhängiger Staat; trotzdem blieben während des ganzen 19. Jahrhunderts Wirtschaft und Kultur stark auf Spanien und allgemein Europa ausgerichtet. Alles was an technischen Neuerungen (z. B. Dampfmaschine, Eisenbahn) und geistigen Strömungen (Klassizismus, Romantik, Historismus, Jugendstil …) aus der alten Welt kam, wurde

unverzüglich in Mexiko übernommen und weiter entwickelt. Die unermesslichen Reichtümer an Bodenschätzen und fruchtbarem Kulturland lockten umgekehrt viele junge Europäer an, in Mexiko ihr Glück zu suchen; viele kehrten nach kürzerer oder längerer Zeit als stolze reiche «Indianos» in die alte Heimat zurück, um dort ihren Lebensabend zu genießen.

Die mexikanische Revolution von 1910 beendete die 34 Jahre dauernde Diktatur von Profirio Díaz. Seither ist Mexiko demokratisch regiert und hat sich zu einer selbstbewussten stolzen Nation entwickelt. Besser als in den anderen ehemals spanischen Kolonien Amerikas ist es den Mexikanern gelungen, die verschiedenen Landesgegenden mit ihren Eigenheiten in ein größeres Ganzes einzubinden und das Zusammengehörigkeitsgefühl aufzubauen, und dies trotz den großen landschaftlichen und klimatischen Unterschieden von Gegend zu Gegend, trotz den vielen Völkern, Sprachen, Kulturen, Religionen, wirtschaftlichen Interessen, Wünschen und Zielen.

Das kulturelle Leben im modernen Mexiko hat nicht zuletzt durch die Impulse der vielen spanischen Intellektuellen, die vor der Franco-Diktatur flohen, zu einer Eigenständigkeit gefunden, die auf verschiedenen Gebieten weltweit anerkannte Leistungen hervorgebracht hat. Als Stichworte mögen dienen: die Erforschung und Aufarbeitung des archäologischen Erbes der zahlreichen indigenen Hochkulturen, die Erfassung und Pflege der reichen Volkskultur aller Landesgegenden (Handwerk, Musik, Tanz, mündliche Literatur …), kühne moderne Bauwerke (die erdbebensichere «Torre Latinoamericana», die neue Universität, das Anthropologische Museum in Mexiko-Stadt …), vielbewunderte großformatige Wandgemälde in historischen Gebäuden zur mexikanischen Geschichte und Gegenwart (Diego Rivera, José Clemente Orozco, Alfaro Siqueiros), eine international beachtete Blüte der Filmindustrie (Luis Buñuel und andere). Nicht zuletzt in der Literatur haben spanische Exilschriftsteller und -dichter, Verleger und

Wissenschaftler ihre Spuren hinterlassen (Max Aub, Luis Cernuda, León Felipe, Manuel Andújar …).

Die mexikanische Literatur des 20. Jahrhunderts ist reich an national und international bedeutenden Autoren. Wie in allen Ländern des Kontinents spielt sich auch in Mexiko das literarische Leben (wie das Kulturleben überhaupt) vor allem in der Hauptstadt ab. Aber gerade die Literatur gewinnt ihre Farbigkeit nur dank den gewichtigen Beiträgen aus allen Landesteilen. Freilich bleiben nur ganz wenige Autoren in ihrer engeren Heimat, die allermeisten verlegen ihren Wohnsitz mindestens zeitweise nach Mexiko-Stadt. Hier nun ist die Zahl guter Geschichtenerzähler fast unübersehbar geworden, und es scheint, dass gerade kurze und kürzeste Erzählungen zur Lieblingsgattung der Mexikaner – besonders auch der jungen Generation – geworden sind. Sie experimentieren mit der Sprache, bringen andere Gesellschaftsschichten in die Literatur ein, schreiben ganze Geschichten in der Gassen- oder Studenten- oder einer anderen Modesprache und erschließen so laufend Neuland. Leider lassen sich die Texte der «Onda» – so reizvoll sie für die Einheimischen sein mögen – nicht befriedigend übersetzen, darum fehlen sie in unserer Auswahl. Trotzdem versuchen wir – bei aller Lückenhaftigkeit – Einblick in die Entwicklung der mexikanischen Literatur im 20. Jahrhundert zu ermöglichen und Autoren verschiedener Generationen aus verschiedenen Landesgegenden mit repräsentativen Erzählungen vorzustellen. Im übrigen sei auf die in Mexiko zahlreich erschienenen aufschlussreichen Anthologien verwiesen, sowie auf die sorgfältigen Studien zur Gattung Kurzgeschichte und zu den Werken einzelner (auch junger) Autoren. Auch in dieser Hinsicht ist Mexiko anders als die übrigen hispanischen Länder!

Zu den Autoren

ALFONSO REYES (Monterrey 1889 – Mexiko-Stadt 1959)
Er gehört zu den führenden Intellektuellen des beginnenden 20. Jahrhunderts in der spanischen Welt. Nach dem Studium der Rechte übersiedelte er mit 25 Jahren nach Spanien, wo er im Umkreis von Ramón Menéndez-Pidal und José Ortega y Gasset sein philosophisches, linguistisches und historisches Rüstzeug verfeinerte. Er wirkte viele Jahre als Botschafter in Frankreich, Argentinien und Brasilien, bis er sich 1939 wieder in Mexiko niederließ. Sein umfangreiches kulturkritisches und literarisches Werk hat die geistige Erneuerung seiner Heimat zum Ziel, ist aber thematisch weit gespannt: die griechische Antike, die spanische und europäische Literatur (er hat sich z. B. intensiv mit Goethe befasst) interessieren ihn ebenso wie die Geschichte und Literatur Mexikos, und bei aller Gelehrsamkeit ist er stets volkstümlich und lebensfreudig geblieben. Hauptbestandteil seines literarischen Schaffens ist die Lyrik, die ihn sein Leben lang begleitet. Seine wenigen Erzählungen sind nach wie vor populär. – «Silueta del indio Jesús» aus «La cena y otras historias» (1984). © Fondo de Cultura Económica.

OCTAVIO PAZ (Mexiko-Stadt 1914 – 1998)
Als Denker und Dichter hat er mit seinem umfangreichen Werk das nationale und internationale Geistesleben des 20. Jahrhunderts maßgeblich mitgeprägt. In den dreißiger Jahren geriet er in die Auseinandersetzung zwischen Faschismus und Kommunismus (spanische Intellektuelle flohen vor der Franco-Diktatur nach Mexiko; Trotzki wurde in Mexiko ermordet). Er studierte als Stipendiat in den USA, wirkte nach dem 2. Weltkrieg als Diplomat in Paris und Tokio, später in Indien. In seinem essayistischen Werk spürt er den geschichtlichen Wurzeln der politischen und gesellschaftlichen Gegenwart in seiner Heimat und in der Welt nach, in seinem lyrischen Schaffen lotet er zeitlebens die Möglichkeiten der Sprache in der Auseinandersetzung

mit den international wichtigen literarischen Strömungen aus. Die
höchsten internationalen Ehrungen und Auszeichnungen (zuletzt der
Nobelpreis für Literatur 1990) bezeugen seine weltweiten Verdienste.
Seine wenigen kurzen Erzählungen sind vielleicht nur Farbtupfer in
seinem Gesamtwerk, aber sie gehören zur Pflichtlektüre. – «El ramo
azul» aus «Cuentos» (México o. J.). Lizenz vom Autor. © Fundación
Octavio Paz, A. C.

José Revueltas (Durango 1914–Mexiko-Stadt 1976)
Er stammte aus ärmlichen Verhältnissen, schloss sich früh der kom-
munistischen Partei an und wurde mehrmals wegen aufrührerischer
Tätigkeit vor Gericht gestellt und zu jahrelangen Haftstrafen ver-
urteilt. Sein literarisches Werk ist umfangreich und vielseitig: in
Romanen, Erzählungen, Filmdrehbüchern, Essays und vor allem
einer Vielzahl von Zeitungsartikeln befasst er sich immer wieder
neu mit sozialem Sprengstoff und greift brennende Gegenwarts-
fragen auf. Er gilt als wegweisender Erneuerer der mexikanischen
Erzählliteratur um die Jahrhundertmitte. Seine Fähigkeit, mit sprach-
lichen Mitteln atmosphärische Dichte zu schaffen, kommt in seinen
Kurzgeschichten besonders gut zur Geltung. Sie zählen denn auch
zu seinen meistbeachteten Werken – «Verde es el color de la esperanza» aus «Dios en la tierra» (1940). © José Revueltas.

Juan José Arreola (Ciudad Guzmán/Jalisco 1918)
Seit seinem zwölften Lebensjahr hat er seinen Lebensunterhalt selbst
verdient. Schon früh war er als Autodidakt literarisch und kulturell
tätig: als Verleger, Literaturprofessor, als Gestalter von Rundfunk-
und Fernsehsendungen, später als Förderer junger Autoren … Er lebt
in Guadalajara und gilt als der Altmeister der mexikanischen Kurz-
prosa. Obwohl sein Erzählwerk eigentlich nur aus dem mehrfach
erweiterten Band «Confabulario» (1952) besteht – daraus stammt
«Parábola del trueque» – hat er bedeutenden Einfluss auf die Literatur seines Landes ausgeübt. Er versteht es meisterhaft, Alltägliches
und Fantastisches, Wirkliches und Absurdes, Ernstes und Spieleri-

sches zu mischen, die Vorstellungskraft des Lesers zu wecken und ihm immer wieder einmal ein Schmunzeln zu entlocken. © Juan José Arreola.

JUAN RULFO (Venustiano Carranza/Jalisco 1918 – Mexiko-Stadt 1986) Wie sein Weggefährte der frühen Jahre, Juan José Arreola, stammte er aus einfachen Verhältnissen. Auch er arbeitete in verschiedenen Berufen, bis er 1962 Leiter der Publikationsabteilung im «Instituto Nacional Indigenista» wurde. Auch er war literarischer Autodidakt, auch er begann mit kurzen Erzählungen in der zusammen mit Arreola herausgegebenen Zeitschrift «Pan». 1953 erschien sein Erzählband «Llano en llamas», der zusammen mit dem 1955 veröffentlichten Roman «Pedro Páramo» sein Gesamtwerk bildet, mit dem er sich seinen festen Platz in der Weltliteratur des Jahrhunderts gesichert hat. Die Durchdringung verschiedener Wirklichkeitsebenen und Bewusstseinszustände läutete eine neue Ära des Geschichtenerzählens ein. «La vida no es muy seria en sus cosas» – aus «Obras completas» (1987) – ist eine seiner frühesten Erzählungen und zeigt schon wesentliche Züge seines Hauptwerks. © Juan Rulfo. Lizenz von der Agentur Carmen Balcells.

AUGUSTO MONTERROSO (Guatemala-Stadt 1921 – Mexiko-Stadt 2003) Aus politischen Gründen musste er Guatemala 1944 verlassen, und seither lebt er in Mexiko. Sein literarisches Werk hat er in Mexiko geschaffen und damit die Literatur seiner Wahlheimat wesentlich beeinflusst. Wie Juan José Arreola ist er ein Meister der ganz kurzen Prosa, und auch sein Gesamtwerk ist in nur einem Band herausgegeben worden («Cuentos, fábulas y lo demás es silencio», 1996; daraus stammt «De lo circunstancial o lo efímero»). Auch er hat mit Fantasie, Witz, Scharfsinn und gescheiten Sprachspielereien der Gattung Kurzgeschichte erfrischende Impulse gegeben. Er versteht es, auch im kürzesten Text dichterische Atmosphäre zu schaffen und selbst allerbekanntesten Themen und allergewöhnlichsten Alltagsvorfällen neuen Reiz abzugewinnen. Sein menschenfreundlicher, liebenswür-

diger Humor ist in einer Welt, wo Grausamkeit das Zusammenleben beherrscht, besonders wohltuend. © Augusto Monterroso.

ROSARIO CASTELLANOS (Mexiko-Stadt 1925–Jerusalem 1974)
Ihre Kindheit verbrachte sie großenteils auf dem Landgut ihrer Eltern in der Provinz Chiapas, studierte Philosophie und Literaturwissenschaft in Mexiko-Stadt und später in Madrid, arbeitete am «Instituto Nacional Indigenista» in San Cristóbal de las Casas (Chiapas) und in Mexiko-Stadt und vertrat später ihr Land als Botschafterin in Israel. Ihre literarische Vorliebe gilt der Lyrik, die sie als der Philosophie am nächsten empfindet. Ihr Prosawerk (zwei Romane und drei kleine Bände Erzählungen) hat das schwierige Zusammenleben der Indios und Weißen in der Provinz Chiapas zum Thema; sie möchte auf die unhaltbaren Zustände hinweisen und zu mehr Verständnis und Gerechtigkeit aufrufen. Sie ist die erste Berufsschriftstellerin in Mexiko. – «El don rechazado» aus dem 1960 erschienene Band «Ciudad Real» (dies ist der alte Name für San Cristóbal de Las Casas). © Rosario Castellanos.

INÉS ARREDONDO (Culiacán/Sinaloa 1928–Mexiko-Stadt 1989)
Sie verlebte eine glückliche Kindheit in einer begüterten Familie, studierte Bibliothekswesen und Literaturwissenschaft und fing bald an, in literarischen und kulturellen Zeitschriften zu publizieren. Die Literatur hat ihr Leben bestimmt, und sie genießt mit ihren nur drei Bändchen Erzählungen hohes Ansehen im mexikanischen Geistesleben. Sie zeigt ihre Figuren in schwierigen, ja aussichtslosen schicksalhaften Verstrickungen und schildert sie so treffend und so eindringlich, dass man tiefe Einblicke in die mexikanische Gesellschaft erhält. – «La casa de los espejos» aus «Obras completas» (1988). © Inés Arredondo.

CARLOS FUENTES (Mexiko-Stadt 1928)
Als Sohn eines Diplomaten verlebte er seine Jugend großenteils in den USA und in verschiedenen lateinamerikanischen Ländern. Er

studierte die Rechte in Mexiko und in Genf und arbeitete früh als Journalist für die Tagespresse und für kulturelle und literarische Zeitschriften. Zeitweise war er selbst im diplomatischen Dienst tätig (unter anderem in Paris), und er hat auch später immer wieder im Ausland gewohnt. Sein Einstieg in die Literatur mit dem Erzählband «Los días enmascarados» (1954) – daraus stammt «Chac Mool» – war ein großer Erfolg. Sein Hauptwerk aber bilden die in schöner Regelmäßigkeit erschienenen zahlreichen Romane, die ihn international berühmt gemacht haben. Ein weiterer Schwerpunkt seines Schaffens sind Essays zur Literaturwissenschaft, Kulturkritik und Geistesgeschichte allgemein. © Carlos Fuentes. Deutsche Rechte: Deutsche Verlags-Anstalt, Stuttgart.

JUAN GARCÍA PONCE (Mérida/Yucatán 1932)
Die Familie übersiedelte vom tropischen Tiefland Yucatáns in die Hauptstadt, als er noch ein Kind war. Früh wählte er die Literatur als Lebensinhalt, begann mit Theaterstücken, arbeitete als Kunst- und Literaturkritiker, Redakteur und Herausgeber kultureller Zeitschriften und schrieb Essays, Romane und Erzählungen. Er ist ein ausgezeichneter Kenner der mexikanischen, amerikanischen und europäischen Literatur (als einer der wenigen Mexikaner hat er sich mit der deutschen eingehend beschäftigt), kurz, er ist ein «homme de lettres». In seinem großen Werk nehmen die Erzählungen einen wichtigen Platz ein; in der kurzen Prosa kann er seine Gabe, mit wenigen Strichen Stimmungsbilder zu schaffen und Schicksale zu beleuchten, besonders gut zur Geltung bringen. – «La plaza» aus dem Erzählband «El gato y otros cuentos» (1984). © Juan García Ponce.

ERACLIO ZEPEDA (Tuxtla Gutiérrez/Chiapas 1937)
Er hat mehrere Bände Gedichte veröffentlicht, aber er ist vor allem der geborene Geschichtenerzähler, und es scheint, dass die kurze Erzählung sich für sein Anliegen besonders gut eignet. Wie Rosario Castellanos versucht er, das Zusammenleben zwischen den ansässigen Indios und den «Ladinos» (der eingewanderten weißen

Oberschicht) zu verbessern, die Indios zur Pflege traditioneller Werte zu ermuntern und ihnen so zu mehr Selbstvertrauen zu verhelfen. Seine Geschichten sind zwar doppelbödig und hintergründig, aber sie strahlen mit ihrem warmen Humor viel Liebe zu seiner konfliktreichen Heimatprovinz aus. Auch auf politischer Ebene sucht er immer wieder zwischen den Parteien zu vermitteln. – «Don Chico que vuela» aus «Andando el tiempo» (1982). © Eraclio Zepeda.

JOSÉ EMILIO PACHECO (Mexiko-Stadt 1939)
Er verlebte einen Teil seiner Kindheit in Veracruz, kam früh in Berührung mit dem Theater und wurde Mitarbeiter verschiedener literarischer und kultureller Zeitschriften, und noch heute bestimmt die Beschäftigung mit der Literatur sein Leben. Er lehrte an Universitäten Amerikas und Europas, schrieb Lyrik, Romane, Erzählungen, Filmdrehbücher, Essays, übersetzte angelsächsische Literatur und ist als gefragter Vortragsredner in Mexiko und im Ausland viel auf Reisen. Seine drei Bändchen Kurzgeschichten bringen seine erzählerischen Qualitäten besonders gut zur Geltung: er schildert das scheinbar Alltägliche in alltäglicher Sprache, und doch kippt das Reale immer wieder unversehens ins Fantastische, das scheinbar Banale ins Hintergründige, das Erlebte ins Erträumte. – «Tarde de agosto» aus «El principio del placer» (1972) © José Emilio Pachaco.

JESÚS GARDEA (Ciudad Delicias/Chihuahua 1939)
Er wirkt in seinem Heimatstaat als Zahnarzt und Hochschullehrer und hat sich schon früh als begabter Erzähler einen festen Platz in der mexikanischen Literatur gesichert. Er hat mehrere Bände Erzählungen und eine Reihe von Romanen veröffentlicht. Sein Thema ist das erstarrte Zusammenleben in der Enge der Provinzstädtchen, das er in genauer, sachlicher Sprache und eindrücklichen Bildern zu gestalten weiß. Er schildert keine heile Welt, sondern zeigt auch Beängstigendes und Unheimliches auf;

er schafft Regionalliteratur im besten Sinn. – «Los visitantes» aus «Difícil de atrapar» (1995). © Jesús Gardea.

AGUSTÍN MONSREAL (Mérida/Yucatán 1941)
Er ist als vielseitiger Literat in Mexiko-Stadt tätig und hat seit der Veröffentlichung seiner ersten Erzählungen auch als Schriftsteller die Aufmerksamkeit der Fachwelt und des Lesepublikums auf sich gelenkt. Immer wieder hat er mit eigenwilligen und sorgfältig ausgearbeiteten Erzählungen überrascht: inhaltliche und formale Neuerungen bereichern die Gattung und erweitern sie in Richtung Lyrik und Kürzestprosa. Immer wieder verwischt er geschickt die Grenzen zwischen Wirklichkeit und Einbildung, Erlebnis und Vorstellung – und steht damit trotz seinem Experimentieren in bester mexikanischer Erzähltradition. – «Un solo amor no basta» aus «Infierno para dos» (1995). © Agustín Monsreal.

HERNÁN LARA ZAVALA (Mexiko-Stadt 1946)
Er studierte erst Ingenieurwissenschaft, wechselte zum Studium der angelsächsischen Literatur und leitete dann die Literaturabteilung der Universität Mexiko-Stadt. Bald machte er sich einen Namen mit Essays und Erzählungen. Die Inspiration zu seinem ersten Erzählband «De Zitilchén» (1981) schöpfte er aus Yucatán, wo er einen Teil seiner Jugend verlebt hatte; er fand hohe Anerkennung. Seither sind seine Themen international geworden. – «Payasito» stammt aus der Anthologie «El cuento mexicano» (1996). © Hernán Lara Zavala.

SEVERINO SALAZAR (Tepetongo/Zacatecas 1947)
Er studierte Literaturwissenschaft und ist Hochschullehrer in Mexiko-Stadt, aber er ist nach wie vor seinem Heimatstaat eng verbunden, denn dort empfängt er die Impulse für seine Erzählungen und Romane. Am Beispiel der kleinen und überschaubaren Provinzstadt zeigt er die Schwachstellen der Gesellschaft auf: die Erstarrung in überlieferten Formen, die sich überlebt haben und zu Leerformeln

geworden sind. In seinem ersten Erzählband «Las aguas derrama-
das» (1986) beweist er bereits sein Talent für die Kurzgeschichte
und die Eignung dieser Gattung für seine Anliegen. Im neuesten
Band «Cuentos de Navidad» (1997) – draus stammt «Feliz Navidad, vecinos» – zeigt er noch deutlicher, wie schmerzlich, sogar
grausam, das Aufbrechen alter Verhaltensnormen für die Betei-
ligten werden kann. © Severino Salazar.

Anzeige des Deutschen Taschenbuch Verlages: Eine Leseprobe

Max Aub: El monte / Der Berg

Cuando Juan salió al campo, aquella mañana tranquila, la montaña ya no estaba. La llanura se abría nueva, magnífica, enorme, bajo el sol naciente, dorada.

Allí, de memoria de hombre, siempre hubo un monte, cónico, peludo, sucio, terroso, grande, inútil, feo. Ahora, al amanecer, había desaparecido.

Le pareció bien a Juan. Por fin había sucedido algo que valía la pena, de acuerdo con sus ideas.

– Ya te decía yo – le dijo a su mujer.

– Pues es verdad. Así podremos ir más deprisa a casa de mi hermana.

Als Juan an jenem stillen Morgen aufs Feld hinaus hing, war der Berg nicht mehr da. Die Ebene öffnete sich ganz neu, herrlich weit, riesengroß, golden unter der aufgehenden Sonne.

Seit Menschengedenken war dort immer ein Berg gewesen: ein kegelförmiger, dicht überwachsener, erdig schmutziger, großer, unnützer, hässlicher Berg. Jetzt, am Morgen, war er weg.

Das gefiel Juan. Endlich war etwas geschehen, das der Rede wert war, etwas, das seinen Wünschen entsprach.

«Ich habe es dir ja gesagt», sagte er zu seiner Frau.

«Nun, es ist wahr. So kommen wir schneller zu meiner Schwester.»

Das Taschenbuch, aus dem die vorstehende Leseprobe stammt, enthält in spanisch-deutschem Paralleldruck kurze Prosatexte von 47 modernen Autoren aus Spanien und Spanisch Amerika. Von manchen nur einen, von vielen zwei oder mehr, insgesamt 74 Texte. Die kürzesten sind wenige Zeilen lang, die längsten zwei Seiten. Einige sind kurze Kurzgeschichten im engeren Sinn: mit spannender Handlung und ordentlicher Pointe. Andere sind eher so etwas wie Momentaufnahmen, Szenenbilder, Stillleben. Einige sind bloß Pointen. Einige sind Prosagedichte à la Baudelaire, andere sind Dialoge à la Valentin. Einige sind behäbig anekdotisch, andere sind pathetisch. Einige sind romantisch, andere aufklärerisch. Einige sind hübsches Feuilleton, andere sind hochkarätige tiefgründige Lebens-Parabeln. Einige machen ihre Leser traurig, andere erheben, ja beflügeln sie ... Und alle zusammen sind ein wunderbares kunterbuntes spanisches Welttheater.

dtv 9320: Cuentos brévisimos / Spanische Kürzestgeschichten herausgegeben und übersetzt von Erna Brandenberger